Eten uit de buurt

Dit boek verschijnt onder de imprint SimplifyLife.
SimplifyLife is onderdeel van:
Forte Uitgevers BV
Postbus 684
3740 AP Baarn

Projectbegeleiding: Martin van der Gaag
Eindredactie: Frieda Pruim
Vormgeving omslag en binnenwerk: Heleen van der Sanden, Quadro VOF, Oss
Omslagillustratie: Hiyoko Imai
Beeldmateriaal: Michiel Bussink (pag. 17, 39, 54, 84, 85, 92, 104, 115, 130, 131 links,
136, 142, 147), Nanne Dorren (pag. 149), Ernie Enkelaar in opdracht van *Jamie
Magazine* (pag. 8), Pieter Jansen (pag. 64, 79) kippenhouden.net (pag. 58), Joep
Naber (pag. 10, 22, 25, 28, 30, 31, 32, 39, 48, 50/51, 59, 94, 96, 97, 108, 112, 122,
127, 131 rechts, 145, 152, 158, 168, 174), Daan Rohof (pag. 80),
Heleen van der Sanden (pag. 13 en 44/45), Xavier San Giorgi (pag. 68),
Stadsboerderij 'Uit je eigen stad' (pag. 72), Stedennetwerk Stadslandbouw (pag.
77), Ben Vulkers (pag. 118), Wageningen Universiteit (pag. 99), Maarten Westmaas
(pag. 89), Wikipedia – forest gardening (pag. 67)

ISBN 978 94 6250 061 7
NUR 740

© 2015 Michiel Bussink
© 2015 Forte Uitgevers BV, Baarn

*Sommige delen van hoofdstukken in dit boek verschenen eerder in diverse edities van
het tijdschrift Genoeg.*

Noot van de uitgever
*De meningen en adviezen die in dit boek worden gegeven zijn bedoeld als richtlijnen.
De uitgever, de auteur en anderen die een bijdrage hebben geleverd zijn niet aanspra-
kelijk voor eventuele verwondingen of andere schade als gevolg van het gebruik van
dit boek. De auteur en de uitgever hebben alles ondernomen om de rechthebbenden
van teksten en gedichten te achterhalen. Zij die desondanks menen recht te kunnen
laten gelden op een tekst of beeld kunnen contact opnemen met de uitgever.*

Meer informatie
Over de boeken van SimplifyLife en Forte Uitgevers:
simplifylife.nl en forteuitgevers.nl
Over de *Genoeg*-reeks en het tijdschrift *Genoeg*:
genoeg.nl/genoegreeks en genoeg.nl

Genoeg reeks

Michiel Bussink

Eten uit de buurt

Haal alles uit je voedselcirkel

Simplify Life

*Genoeg*reeks

Boeken in de *Genoeg*-reeks staan vol informatie en inspiratie voor iedereen die meer wil doen met minder. De reeks wordt gemaakt door redactie en medewerkers van het tijdschrift *Genoeg*, in samenwerking met Forte Uitgevers. Het tijdschrift gaat net als de *Genoeg*-reeks over rijk leven met weinig, eerlijk delen, kritisch kiezen, vrolijk besparen en zelf dingen maken. Meer informatie over het blad of de *Genoeg*-reeks? Kijk op genoeg.nl of op genoeg.nl/genoegreeks.

Redactie *Genoeg*-reeks
Martin van der Gaag, Frieda Pruim, Heleen van der Sanden

In de *Genoeg*-reeks verschenen verder
Martin van der Gaag met Thomas Volman,
De luxe van genoeg (2014)
Annemiek van Deursen, *De eerlijke moestuin* (2014)
Marieke Henselmans, *Consuminderen met kinderen* (2014)
Annemiek van Deursen, *Eten uit de eerlijke moestuin* (2015)

Inhoud

Voorwoord

Wat een mooi boek is *Eten uit de buurt*. Van een auteur die ik heel graag mag. Michiel schrijft over wat mij aan het hart gaat. Wat me elke dag bezighoudt. Wat mijn werk tot mijn werk en mijn leven tot mijn leven maakt. YIMBY! – *Yes in My Back Yard!* – lees ik in de inleiding. Mooie kreet. Wij in de Achterhoek zouden roepen: JAKVAG! Jao Alles Kump Van Achterhoekse Grond!

Bij Gasterij De Gulle Waard in Winterswijk werken we al jaren in een kleine voedselcirkel. We noemen dat onze culinaire schatkamer: de Achterhoek. In Nederland zijn heel veel culinaire schatkamers. Een deel ervan is ontdekt; een ander deel nog niet. Gelukkig beseffen steeds meer mensen dat we in een heerlijk land wonen met veel mogelijkheden en initiatieven. Wordt het uit je streek eten inmiddels bestempeld als een trend, wij werken al vele jaren zo. We willen graag wonen in een mooie, economisch sterke streek. Dus hebben we radicaal besloten om direct met bewoners van onze streek te gaan samenwerken in plaats van spullen van ver weg te halen van vaak anonieme leveranciers. Het was zó nodig om het anders te gaan doen. Om het leven leuker, voller te maken. Om gelukkig te worden. Ik leef voor lekker, goed, puur eten; van een heerlijk maal word ik zielsgelukkig. En dat gevoel wil ik graag met iedereen delen. Dus ik kook met ziel en zaligheid met producten die met ziel en zaligheid zijn geproduceerd.

Gasten zeggen zo vaak: 'Oh wat heerlijk! Zo puur!' 'Ja, dat is nou de smaak van de Achterhoek', antwoorden we dan. Wat de boer, teler, betrokken mens met liefde maakt, proeft u altijd! Natuurlijk, het kost meer tijd. Meer geduld. Meer organisatie, compassie, kennis… Maar het maakt gelukkig en geeft dus energie om er vol voor te gaan. Bijna volmaakt gelukkig. Bijna, omdat er altijd nog meer te ontdekken valt.

Het moeite doen wordt beloond. Samenwerken is heerlijk. Elkaar aankijken, spreken, aanspreken, afspraken en plannen maken. Omdat je je passie deelt, krijg je vrienden omdat die, net zoals jij, bezig zijn met mooie producten maken. Smaakvrienden. Tuurlijk is het nodig om ook verre vrienden te hebben. Dat wat je niet kunt krijgen uit je streek. Ver(de)re vrienden zoals Jan en Barbara: goede vissers van de Nederlandse Wadden die ons voorzien van heerlijke waddenschatten. Of heel verre vrienden zoals Chukululu oftewel Lourdes, de chocoladekoningin uit Ecuador. Persoonlijke contacten die wat mij betreft het leven een gouden rand geven.

Vrienden met wie je liefde en leed deelt. Klein leed: de eerste lichting raapsteeltjes heeft de hagel niet overleefd. Grote liefde: het samen werken en staan voor het misschien wel allerlekkerste product dat er bestaat. Het allerlekkerste omdat het van 'ons' is. En dat proeft iedereen.

Nee, je hoeft niet alles zelf te telen, maar het is wel nodig om alles te willen delen. Dus op zoek naar mensen met bezieling, durf, smaak... vrienden maken.

In mijn keuken voer ik het gebruik van zoveel mogelijk ingrediënten uit onze buurt zo ver mogelijk door. Zure appelsoorten gebruiken in plaats van citroenen, want tja, die groeien niet in de Achterhoek. Speltkorrels in plaats van rijst. En de eerste kleine pruimpjes inleggen om ze na rijping te kunnen gebruiken als een alternatief voor olijfjes, want ook die groeien niet hier.

Soms zeggen mensen: 'Zo ver doorvoeren? Je hebt echt een tik!' Een tik? Ja misschien wel. Maar o, o wat een heerlijke tik! En ik ben zeker niet de enige met die tik. Het feit dat u nu met dit inspirerende boek in handen zit... Heel veel plezier ermee. U gaat ervan genieten.

Nel Schellekens,
Gasterij De Gulle Waard

Inleiding

Het ruikt naar houtvuur en versgebakken brood in de verbouwde boerderij aan de rand van het Sallandse bos. Hier bakt Ton IJsseldijk zijn houtovenbrood. Takken uit het naburige bos gaan in zijn zelfgebouwde 'bakspieker'. Zo worden de ovenstenen gloeiend heet. De asresten veegt Ton eruit, de oven moet even een beetje afkoelen en dan kan het brooddeeg erin. Zo'n tachtig broden per keer worden er gebakken, met een heerlijk krokante korst en unieke smaak.

Sallands Houtovenbrood van Ton IJsseldijk is te koop in winkels in Zwolle, Zutphen en Wageningen, op de zaterdagmarkt in Deventer en bij enkele boeren in de buurt. Een van die boeren, Jopie Duijnhouwer (Zie foto's op pagina 97 en 122), verbouwt een flink deel van het graan voor Ton.

Lange tijd runde Ton een 'gewone' bakkerij met filialen in Deventer. Maar de manier van werken brak hem op. 'De industriële bakwereld kwam steeds meer neer op zoveel mogelijk brood bakken tegen zo laag mogelijke kosten om het hoofd boven water te houden en dan niet eens trots kunnen zijn op je product.' Na omzwervingen naar onder andere Frankrijk realiseerde hij hier zijn droom: écht ambachtelijk brood bakken, op zíjn manier, met meel, water, zout en desem: 'Lekker brood, zoals het hoort.'

Af en toe koop ik een brood van Ton, drie kilometer op de fiets in oostelijke richting van mijn huis in Lettele. Bij voorkeur de luxere varianten met noten en vruchten, en de heerlijke gevulde speculaas tijdens decemberdagen. Maar meestal bak ik mijn brood zelf, van het tot meel gemalen graan van Jopie, vijf kilometer de andere kant op, richting Deventer.

↖ Ton IJsseldijk bij zijn 'bakspieker'

Gemalen door molenaar Tonny Moes (zie foto op pagina 96) in windkorenmolen De Leeuw, twee kilometer naar het zuiden, waar ik langskom als ik mijn zoon naar pianoles breng. Voor op de boterham koop ik de biologische boter uit onze dorpswinkel en de kaas van zorgboerderij De Vijfsprong, zo'n twintig kilometer naar het zuiden. De takjes waterkers bovenop de kaas komen uit de naburige sloot. Of wat radijsjes uit de moestuin plus wat gesnipperde bieslook van de vensterbank.

Het meeste brood dat in Nederland wordt gegeten, is heel anders gemaakt en heeft vele malen ingewikkelder wegen afgelegd, voordat het aan de keukentafel belegd en opgegeten wordt. Het graan voor het brood komt misschien wel uit Canada, van enorme bedrijven. Speculanten handelen in miljoenen tonnen graan tegelijk. Opkopers slaan hun slag als ze een mooie deal kunnen sluiten, soms in Canada, soms in de Oekraïne of Frankrijk. Het Nederlandse bedrijf Meneba, de grootste meelfabrikant van Europa, heeft meestal geen idee van welke graantelers het meel precies komt. Meneba verkoopt het weer aan grote bakkerijbedrijven zoals Bakkersland en Quality Bakers, die brood bakken voor supermarktketens en zelfstandige bakkers. Daar wordt het meel, behalve met water, gist en zout, gemengd met broodverbeteraars en kleurstoffen, die weer van andere fabrikanten komen. Uiteindelijk is het dan te koop. En ik geef eerlijk toe: soms eet ik ook zulk brood. Als het om de een of andere reden niet gelukt is om zelf te bakken of brood van Ton te kopen.

Twee voedselcirkels

Stel nu, ik maak twee tekeningetjes met de boterham op mijn keukentafel als uitgangspunt. Het ene staat voor het brood van Ton of dat van mijzelf, in beide gevallen gebakken van het meel van Jopie. Het andere staat voor het brood van de supermarkt. Vervolgens teken ik alle betrokken bedrijven bij die ene snee brood, met de geografische afstand tussen hen. Plus de lijnen die staan voor de transacties tussen die verschillende bedrijven. Daarna trek ik een cirkel om al die broodbetrokkenen. Een 'voedselcirkel'.

Twee voedselcirkels

🍞 Ik en mijn boterham
2. (Graan)boer Jopie
3. Molenaar Tonny
4. Bakker Ton

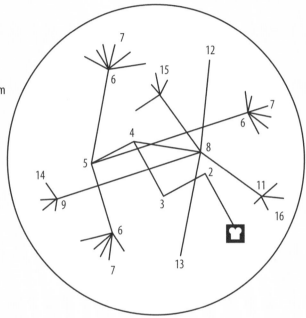

🍞 Ik en mijn boterham
2. Supermarkt
3. Distributiecentrum supermarkt
4. Bakkerijfabriek
5. Maalderij
6. Graanhandelaar
7. Graanboeren
8. Leverancier broodverbetermiddelen
9. Melkeiwitproducent
(t.b.v. broodverbetermiddel)
10. Suikerproducent
(t.b.v. broodverbetermiddel)
11. Plantaardige olieproducent
12. Producent emulgatoren
13. Producent enzymen
14. Zuivelboeren
15. Suikerboeren
16. Oliezaadboeren

Twee cirkels: een kleine en een grote. De kleine met weinig en korte lijntjes. De grote met veel, lange en ingewikkelde lijnen. Nu is de vraag: is de ene cirkel beter dan de andere? Daar kun je een heel verhaal over houden, sterker nog: daar valt een boek over te schrijven. Dat heb ik dus maar gedaan. Volgens een groeiende groep wereldburgers kleven er nogal wat nadelen aan de grote cirkel. Denk alleen al aan de liters benzine en olie die zijn gebruikt voordat je een hap van je boterham kunt eten. Bij vrijwel alle lijnen in de cirkel worden er schepen, vrachtauto's, treinen en auto's gebruikt om graan, meel en andere producten van het ene naar het andere bedrijf te vervoeren. Waarbij uiteraard heel wat fossiele brandstoffen worden verstookt. En we weten allemaal: het verstoken van fossiele brandstoffen draagt bij aan de klimaatverandering. Terwijl de kleine cirkel laat zien dat je je dagelijkse boterham ook met veel minder fossiele brandstoffen op je bord kunt krijgen. Zo kleven er nog veel meer nadelen aan die grote cirkel. Er zitten ook voordelen aan, zoals de makkelijke verkrijgbaarheid van allerlei smakelijke producten uit verre oorden. Maar die wegen niet op tegen de nadelen.

De lijntjes in de cirkels staan niet alleen voor afgelegde geografische afstand, maar ook voor 'relaties'. De relaties in de kleine cirkel zijn kort, overzichtelijk en niet anoniem: ik ken de boer, de bakker en de molenaar bij hun naam en zij kennen die van mij. De relaties in de grote cirkel zijn anoniem, ingewikkeld, ver weg en draaien voornamelijk om geld en economische efficiëntie. Honderden mensen zijn betrokken bij die ene boterham in de supermarkt. Met als gevolg dat niemand zich daar verantwoordelijk voor voelt. In de kleine cirkel zijn consument én producent (boer, bakker en molenaar) vele malen belangrijker in het geheel dan in de grote cirkel. Ze zijn persoonlijk bij elkaar betrokken en houden daarom rekening met elkaar. En daarin zit een groot deel van de kracht van lokaal geproduceerd voedsel: je weet beter waar het vandaan komt én je hebt veel meer te zeggen over zoiets cruciaals als je dagelijkse eten. Daarover gaat dit boek, en over hoe je dat praktisch voor elkaar krijgt.

Er is trouwens nog wel een probleempje: ik ben verslaafd. Mijn ochtendlijke grote beker koffie met warme opgeklopte melk wil ik echt niet missen. Terwijl koffiestruiken lokaal toch echt niet groeien. Hoe lossen we dat op? Daarover aan het eind van het boek meer.

De voordelen van een kleine voedselcirkel

Eerlijker en voordeliger
Doordat er veel minder tussenhandel, verwerkende industrie en supermarktketens in de kleine voedselcirkel actief zijn, kunnen boeren een betere prijs krijgen voor hun producten, zonder dat consumenten meer geld kwijt zijn. De verhoudingen tussen producenten en consumenten zijn simpeler, transparanter en daarom eerlijker: het is duidelijker wie in de (korte) keten wat verdient en waaraan. Boeren worden niet langer gedwongen om zoveel mogelijk te produceren tegen zo laag mogelijke kosten. Daarom wordt het makkelijker om rekening te houden met dierenwelzijn, milieu, natuur en individuele consumenten.

Ecologischer
Er worden in de kleine voedselcirkel minder fossiele brandstoffen gebruikt, want er worden veel minder 'voedselkilometers' gemaakt. De kleine cirkel is daarom klimaatvriendelijker. Bovendien wordt er veel minder met landbouwgrondstoffen over de wereld gesleept, waardoor er minder bodems worden uitgeput en overbemest. Kijk maar naar de Nederlandse intensieve veehouderij. We zijn in staat om extreem veel beesten (vooral varkens en kippen) in ons kleine landje te houden door het voer voor die beesten van ver weg te halen. Veel

uit Zuid-Amerika, waar het Amazonewoud wordt gekapt om daar sojabonen te telen voor onze veestapel. In Zuid-Amerika wordt de bodem uitgeput en vervuild (door chemische bestrijdingsmiddelen), hier zorgt die enorme veestapel voor overbemesting, die een groot deel van de Nederlandse biodiversiteit heeft vernietigd.

In een kleine voedselcirkel wordt gestreefd naar het optimaal benutten van lokale bodems, zonder overproductie. In de praktijk betekent dat bijvoorbeeld veel minder dieren houden: niet meer dan de lokale en regionale ecologie aankan. Wie zoveel mogelijk in ecologische kringlopen denkt (voedingsstoffen die je uit de bodem haalt, moeten er op een of andere manier ook weer in dezelfde hoeveelheden in terug), komt vanzelf uit bij een kleine voedselcirkel.

Doordat in de kleine voedselcirkel de ketens veel korter zijn, oftewel veel minder bedrijven bij de productie, verwerking en distributie betrokken zijn, wordt er ook nog eens minder voedsel verspild.

Gezonder

Voedsel dat van ver weg komt, is langer onderweg en moet dus van allerlei hulpstoffen zoals zout en suiker worden voorzien om niet te bederven en niet onaantrekkelijk te ogen. Die hulpstoffen zijn niet allemaal even gezond. Bovendien is voedsel van dichtbij verser, waardoor het meer waardevolle voedingstoffen bevat. Dat geldt natuurlijk helemaal voor zelf geteelde groenten en fruit. Het onderhouden van een eigen moestuin(tje) of af en toe meewerken bij de boer, vergt bovendien lichamelijke inspanning: ook heel gezond. Niet alleen voor ons lichaam, maar ook voor onze geest, die tijdens spitten, wieden en oogsten de kans krijgt tot rust te komen. De afgelopen decennia zijn niet voor niks zorgboerderijen (voor o.a. psychiatrisch patiënten, ex-delinquenten, dementerenden en moeilijk opvoedbare kinderen) uit de grond geschoten.

Lekkerder

Een aardbei die geplukt is op het moment dat hij rijp is, is vele malen lekkerder dan een groen geplukte aardbei die duizenden kilometers heeft moeten afleggen voordat hij in de winkel ligt. Aardbeien worden alléén rijp aan de plant. Pluk je de vruchten af als ze nog een beetje licht van kleur zijn, dan worden ze misschien nog wel rood, maar niet meer rijp. Dat geldt ook voor veel andere groenten en fruit. Groenten- en fruitrassen worden door supermarktketens vooral op uiterlijk en houdbaarheid geselecteerd en niet op smaak.

Met rijpe en verse producten koken, levert veel smakelijker maaltijden dan met onrijp geoogste groenten, of met industriele pakjes en zakjes waarin – onder andere vanwege de lange reis- en bewaartijden – te veel zout, suiker en kleur-, geur-, smaak- en conserveringsstoffen zijn toegevoegd.

Meer eigen

Eten uit je directe omgeving betekent dat je meer betrokken bent bij je leefomgeving en de daarbij horende wisseling van de seizoenen. Een akker waarvan je weet dat daar je aardappels worden verbouwd, een bosrand waar je bramen plukt, een weide waar de koeien grazen die de melk voor jouw kaas leveren: niet alleen de producten, ook de omgeving wordt minder anoniem en gaat daardoor meer voor je betekenen. Meer betrokkenheid betekent ook meer zorg voor die leefomgeving, als die om de een of andere reden wordt bedreigd. Bovendien is het prettig je ergens 'thuis' te voelen. De Fransen gebruiken het woord *terroir*, vooral in combinatie met eten en drinken. Dat zou je kunnen vertalen als 'de smaak van een plek'. De geur en de smaak van de wijn worden bepaald door de grond waar de wijnstok groeit, maar ook door de lokale ambachtelijke tradities van het wijn maken. Elke plek heeft daarmee zijn unieke, niet inwisselbare karakter.

Duidelijker en democratischer

Een kleine voedselcirkel heeft minder schakels en is daardoor overzichtelijker en minder anoniem. Duidelijk is wie waarvoor verantwoordelijk is. De betrokkenen zijn daarom beter aanspreekbaar op wat ze produceren én kopen. Zelf je eigen voedsel verbouwen of plukken is al helemaal duidelijk. In de grote voedselcirkel is vaak niet duidelijk wie waarvoor verantwoordelijk is. Als er iets misgaat in de voedselproductie, in de vorm van bijvoorbeeld milieuvervuiling of dierenleed of menselijke fouten, is vaak niet duidelijk dát er wat misgaat, omdat de betrokkenen letterlijk ver van elkaar zitten. En als de misstanden wel aan het licht komen, wijzen de betrokkenen naar elkaar. In de kleine voedselcirkel is het veel makkelijker de gevolgen van je handelen onder ogen te zien. Je bent veel meer zélf verantwoordelijk voor je voedsel.

In de voedselvoorziening heeft nu een handjevol agrochemische bedrijven wereldwijd veel invloed: enkele bedrijven beslissen bijvoorbeeld welke zaadvariëteiten gebruikt worden. Werken aan lokale voedselvoorziening betekent een machtsverschuiving: minder macht voor agromultinationals, meer zeggenschap voor kleine producenten en gebruikers.

Beter voor de lokale economie
Een kleine voedselcirkel draagt bij aan de leefbaarheid van gemeenschappen door versterking van de lokale economie. Die lokale economie wordt namelijk ondergraven door grote internationaal opererende winkelketens en -bedrijven. Door de komst van (grote) supermarkten moeten lokale winkels sluiten, moet het voedsel van producenten van buiten de gemeenschap worden aangevoerd, gaat de winst naar het hoofdkantoor en aandeelhouders elders in de wereld en wordt niet in de lokale gemeenschap geïnvesteerd. Door het voedsel van boeren uit de buurt te kopen, wordt de gemeenschap minder kwetsbaar voor de grillen van de wereldmarkt en lekt de winst niet weg naar elders.

Dichter bij de kringloop van het leven
Eten is cruciaal, omdat we anders niet kunnen leven. Eten vormt ook een verbinding tussen onszelf en de wereld om ons heen. Dat is altijd zo, of ons eten nu van ver komt of van dichtbij. Maar als de voedselproductie dichtbij plaatsvindt, en zeker als we zélf ons voedsel verbouwen, realiseren we ons dat veel beter. Als je zelf je aardappels hebt geteeld, wéét je dat die alleen hebben kunnen groeien dankzij een bodem vol met mineralen, regen, zon, warmte en licht. Wij bestaan dankzij al het andere dat bestaat, we zijn onlosmakelijk onderdeel van de kringloop van het leven: een waardevol besef.

Vandaar:
YIMBY! Oftewel: *Yes in my Back Yard!*

Denkers en doeners

Het werken aan een voedselvoorziening met kortere lijnen is niet nieuw. In het verleden zijn allerlei denkers en doeners daarmee al bezig geweest. Daarbij vielen vaak de termen 'kleinschaligheid' en 'zelfvoorziening' en later 'regionalisering' en 'lokalisering'.

Mahatma Gandhi, de geweldloze wegbereider van de Indiase onafhankelijkheid, zag *swadeshi* ('zelfvoorziening') bijvoorbeeld als cruciaal onderdeel van zelfbeschikking. Door in de koloniale tijd Britse producten te boycotten en binnenlandse producten te stimuleren, kon India zich volgens hem losweken uit het Britse rijk. Dorpen moesten in zijn visie zoveel mogelijk economisch onafhankelijk worden en bijvoorbeeld hun eigen textiel produceren, in plaats van afhankelijk te zijn van door de Britten gesubsidieerde fabrieksmatige textielproductie.

Gandhi was op zijn beurt een van de inspiratoren voor de Duits-Britse econoom E.F. Schumacher, die zijn 'boeddhistische economie' bedacht. Productie met lokale bronnen voor lokale behoeften is de meest rationele manier van economisch leven, vond hij. Zijn visie kreeg wereldwijde bekendheid met zijn in 1973 verschenen *Small is beautiful*, waarin hij pleit voor menselijke maat in de economie, op basis van aangepaste, gedecentraliseerde technologieën.

Als kind, in de jaren zeventig, heb ik ook al veel zitten lezen in het boek *Leven van het land* van de Brit John Seymour, met als ondertitel *Niets verspillen en gezond blijven*. Daarin beschrijft hij hoe je met tweeënhalve hectare grond een gezin van zes personen kunt onderhouden en ook nog wat overhoudt om te verkopen. Hij beschrijft ook hoe je met wat minder grond toch zoveel mogelijk je eigen voedsel kunt produceren. Met inzichtelijke tekeningen, van het zaaiklaar maken van het land, het telen van komkommers en boerenkool tot het brouwen van bier, bewaren van uien en verwerken van pruimen. Medewerkers van milieu-educatiecentrum De Kleine Aarde schreven een voorwoord bij de Nederlandse vertaling; decennialang heeft het centrum in Boxtel op zijn terrein het zo veel mogelijk in eigen voedsel en energie voorzien in de praktijk proberen te brengen.

Een hedendaagse navolger van Schumacher is de Brit Rob Hopkins, die in zijn woonplaats Totnes de Transition-Town-beweging begon, met inmiddels initiatieven in zo'n duizend steden wereldwijd, ook in Nederland en Vlaanderen. Transition Towns werken op lokaal niveau aan vermindering van de olie-afhankelijkheid, door de bevolking actief te betrekken bij zelfbeheer op het gebied van voedselproductie, energieopwekking, duurzaam bouwen en versterking van de lokale economie.

Aan de slag

Eten uit de buurt dus. Maar hoe te beginnen? In dit boek neem ik je mee op weg naar allerlei manieren om daar aan te werken, mede aan de hand van mijn eigen jarenlange ervaringen. We beginnen eerst maar eens met naar buiten kijken: is het lente, zomer, herfst of winter (hoofdstuk 1)? Wat groeit er dicht bij huis of wat zou er kunnen gaan groeien (hoofdstuk 2)? Wat kan ik samen met anderen in de buurt doen (hoofdstuk 3)? Wat groeit er voor lekkers in park en bos (hoofdstuk 4) en wat hebben lokale boeren en tuinders in de aanbieding (hoofdstuk 5)? En, nog een cruciale stap: koken met lokale producten (hoofdstuk 6). Ten slotte nog die koffie: wat doen we daarmee, en met andere beren op de weg? Laten we gewoon maar eens beginnen.

Hoofdstuk 1
Werken aan de kleine voedselcirkel

Bidden voor het eten, dat deden we vroeger bij ons thuis: ogen dicht, handen gevouwen in de schoot, heel eventjes. Niet zoals bij opa en oma ook nog ná het eten en sowieso veel korter dan bij mijn andere grootouders, op de boerderij. Op een gegeven moment was het thuis zomaar helemaal weg, een religieus ritueel verdwenen. Nu voel ik enig ongemak als er in groepen om stilte gevraagd wordt met een minderheid van gelovigen die de traditie in ere houdt. Hoe moet dat ook al weer? Doe ook ik mijn ogen dicht, waar laat ik mijn handen?

Maar naast ongemak is er bij mij inmiddels ook wel een beetje jaloezie en verlangen. Want wat een rust, wat een ruimte, een baken te midden van de hectiek en mooi eigenlijk, zo'n moment van dankbaarheid voor ons eten. Vanzelfsprekend is fatsoenlijke voeding immers niet, terwijl voedsel wel cruciaal is voor ons mens-zijn. Zonder eten ga je dood. En van ongezond eten word je ziek. De teloorgang van het 'dank' zeggen voor ons dagelijks brood zou je kunnen opvatten als een teken van onverschilligheid. Door weer wat minder onverschillig te worden, leren we veel over onszelf en het leven. Niet per se door weer te gaan bidden, al is dat niet verboden, maar in ieder geval door regelmatig stil te staan bij wat we zoal eten.

Wat gebeurt er als je een hap eet van een boterham met boter en aardbeienjam? Mooi rood is de laag jam, met hier en daar stukken aardbeien, op een wittige onderlaag. Je neemt een hap, de zoete aardbeiensmaak vult de binnenkant van je mond, samen met het romige van de boter, de *bite* van het brood. Zo doodgewoon, maar als je er bij stilstaat, behoorlijk intiem. Iets van buiten stop je zomaar in een van je lichaamsgaten. Je tanden vermalen het brood met de boter en de jam. Je tong proeft en voelt. Het speeksel gaat van binnen aan het werk, om met enzymen en bacteriën een voorbewerking te maken. Voordat je slikreflex het mengsel naar beneden brengt, via slokdarm richting maag, waar andere lichaamssappen er op inwerken en het richting darmen sturen. Daar wordt alles afgebroken in bruikbare voedingsstoffen. Stofjes die bouwstenen vormen om je hart te laten pompen, je hersenen te laten denken en regelen, je te laten lopen en fietsen, je boodschappen te laten doen, je dit boek te laten lezen. Die ervoor zorgen dat de cellen waaruit jij bent opgebouwd, regelmatig vernieuwd worden. De duimen van je linker- en rechterhand: ze bestaan dankzij het eten van boterhammen met boter en aardbeienjam. En niet alleen je duimen: je hele lichaam heeft kunnen groeien door wat je at en dronk. Eerst in de buik via je moeder en sinds je geboorte door voedingsstoffen van buiten je lichaam in te brengen. Wie – al is het af en toe – beseft wat hij te danken heeft aan een met aardbeienjam belegde boterham, zal zich waarschijnlijk wat drukker maken over waar die vandaan komt en wat er onderweg naar zijn mond allemaal mee is gebeurd. Onverschilligheid daarover wordt iets merkwaardigs, want is onverschilligheid over jezelf.

Maar als we wat meer over onze boterham met boter en jam te weten willen komen, blijkt dat nogal lastig te zijn. Zeker als het brood, de boter en de aardbeienjam in de supermarkt zijn gekocht. Om eens met die jam te beginnen. Er staat op de pot wat er in de jam zit: aardbeien, suiker, pectine, citroenzuur. Je hebt weleens gehoord dat er bij de teelt van aardbeien veel chemische bestrijdingsmiddelen worden gebruikt. Zou dat bij deze aardbeien ook het geval zijn? Wie de supermarktmanager belt, zal doorverwezen worden naar het hoofdkantoor, dat

weer doorverwijst naar de jamfabriek, die weer doorverwijst naar groothandel, die weer doorverwijst naar leveranciers in vier landen waar de aardbeien vandaan komen. Die waarschijnlijk helemaal niet willen vertellen wat voor middeltjes er op de aardbeien worden gespoten: regelmatig blijken er op de aardbeien al dan niet verboden, schadelijke bestrijdingsmiddelen te zitten.

Dat schiet niet op. Weet je wat, we doen gewoon wat verse aardbeien op ons brood. Geprakt met een beetje suiker. Gekocht bij een tuinder net buiten de stad, die een winkel aan huis heeft en vast wel wil vertellen hoe hij zijn aardbeien behandelt. Maar die blijkt ze helemaal niet te hebben! 'Het is november mijnheer, dan hebben wij geen aardbeien in onze tuinderij. U kunt ze wel elders kopen. Maar dan komen ze of uit Nederlandse verwarmde kassen, waar heel veel energie voor nodig is. Of ze komen uit Spanje of Israël gevlogen.' De tuinder weet te vertellen dat het dus heel veel fossiele energie vraagt om die aardbeien in de herfst en winter hier te krijgen.

Bovendien worden ze daar niet rijp geplukt, waardoor ze helemaal niet lekker zijn. 'Dus mijnheer, geen verse aardbeien, daarvoor moet u echt wachten tot eind mei. Maar we hebben nog wel volop heerlijke peren.' Je kijkt naar buiten, de herfst rukt de laatste blaadjes van de bomen, het is guur en nat. Geen aardbeientijd, dan maar peren. Ook lekker. En ach, waarom zou je geen plakjes peer op brood doen?

Voeding is energie

Eten geeft je energie. Maar blijkbaar kost het produceren van die voeding ook energie, denkend aan de met gas verwarmde Nederlandse kassen en de overgevlogen aardbeien. Er wordt energie in ons eten gestopt, zodat wij er energie van krijgen. Wie dat nader bekijkt, stuit op iets geks. Daarbij is een begrip behulpzaam dat ik nog niet in Nederlandse vertaling ben tegengekomen en dus maar in het Engels laat staan: de *Energy Return On Energy Invested* (EROEI). Er is energie (inspanning) nodig om aan energie (voedsel) te komen. Dat is altijd zo geweest. Het grootste deel van zijn bestaan heeft de mensheid in zijn voedsel voorzien door te jagen en te verzamelen: noten, planten, bessen, paddestoelen, wild, vis en gevogelte. Dat rondlopen en zoeken en achter wilde beesten aanrennen, kost uiteraard energie. Jagers en verzamelaars kenden een EROEI van vijf tot tien. Dat wil zeggen dat één calorie lichamelijke inspanning vijf tot tien calorieën aan voedsel opleverde.

Zo'n tienduizend jaar geleden begonnen mensen het land te bewerken, dus graan inzaaien, vee binnen een omheining houden. Dat kostte vaak méér lichamelijke inspanning dan jagen en verzamelen. Zelfvoorzienende landbouwers hebben over het algemeen een EROEI van 1: net genoeg om van te leven.

Inmiddels zijn we aanbeland in het tijdperk van de industriële landbouw, dat na de Tweede Wereldoorlog een grote vlucht heeft genomen. Ons huidige op fossiele brandstoffen gebaseerde systeem heeft een EROEI van minder dan 0,07: 1 calorie eten op ons bord heeft 15 tot 20 calorieën aan fossiele energie gekost. Dat is een gemiddelde: voor de energie die een kastomaat levert, moet veertig keer zoveel energie aan gas worden opgestookt en dan zijn verpakking, transport en koeling nog niet eens meegerekend. Er wordt dus vele malen meer energie in het systeem gestopt dan we eruit halen: extreem inefficiënt en verre van rationeel. Heel anders dan het beeld dat daarover over het algemeen bestaat: dat de voedselproductie vroeger een stuk achterlijker en inefficiënter was dan nu.

Moeten we dus maar terug naar vroeger en weer in beestenvellen gehuld achter de konijnen aan gaan rennen? Nee, dat is niet reëel, maar net zo irreëel als de houdbaarheid van onze huidige manier van voedsel produceren. Alleen al omdat de fossiele brandstoffen waarop de huidige voedselproductie is gebaseerd, een keer opraken. Nog even afgezien van het feit dat het huidige tempo waarin die worden opgestookt, voor onverantwoorde klimaatverandering zorgt.

Alleen aardbeien kopen als het daarvoor het geschikte seizoen is, of zelf aardbeien telen, zorgt in ieder geval voor een betere EROEI. En heeft nog een hele hoop andere voordelen, die ik in de inleiding al noemde. Om te werken aan een kleine voedselcirkel, moeten we goed naar buiten kijken: wat voor seizoen is het? En op wat voor plekken groeien aardbeien?

Hoofdstuk 2
Je eigen plekje

As ik aan het begin van de avond, na het eten, zin heb in een kopje thee, loop ik de deur van de bijkeuken uit, mijn dorpstuintje in en pluk dan een takje verse munt. Meestal kan ik het niet laten even mijn neus in het takje te drukken. Ah, wat een heerlijke, verfrissende, opwekkende, intense, vrolijk makende geur komt er van dat plantje af. Als het water kookt, spoel ik de theepot om met het hete water, doe het munttakje erin, deksel erop en laat de thee trekken. Zo'n vijf minuten en dan kan de thee worden genoten.

Zo drink ik het hele jaar mijn eigen kruidenthee. Al lang voordat verse muntthee in de cafés in de Randstad hip werd. Zo'n twintig jaar geleden betrok ik een moestuin bij een volkstuinvereniging. De vorige, Marokkaanse pachter van mijn stukje had wat plantjes van zijn munt laten staan. Je hebt muntplanten in allerlei soorten en maten: ze zijn lang niet allemaal even lekker. Maar déze munt – Marokkaanse – is gewoon fantastisch lekker. Het plantje vermeerdert zichzelf door vlak onder de grond nieuwe horizontaal groeiende wortels te maken, waar dan weer nieuwe muntplantjes uit groeien. Dus in alle tuinen, groot en klein, die ik sindsdien heb gehad, groeit deze munt, omdat ik telkens weer stekjes meeneem. Hij doet het trouwens ook prima in potten, op terras of balkon. De muntplant vermeerdert zich zo makkelijk en snel, dat ik er al massa's van heb weggegeven via stekjesmarkten en zelfs (gratis) via Marktplaats.

De plant groeit een flink deel van het jaar, van eind maart tot en met oktober, met een warme herfst nog wel langer. Toch drink ik ook in de winter mijn eigen muntthee: in de zomer pluk ik van de overvloed, hang de takken in bossen te drogen, ris de gedroogde bladeren van de takjes en bewaar ze in goed sluitende weckpotten. Waarna ik er op dezelfde manier als van verse munt thee van zet. Deze gedroogde versie is óók lekker, maar toegegeven, de thee van verse munt is een tikkeltje krachtiger en frisser. De eerste keer in het voorjaar weer verse munt drinken, is dus een mooi moment.

Behalve munt heb ik nog zo'n 46 andere soorten eetbare planten staan in de tuin rond mijn huis. Van tijm en Oost-Indische kers tot tomaten en druiven. Terwijl ik heus niet zo'n grootgrondbezitter ben: 400 vierkante meter, waarop ook het huis staat, met een forse schuur, carport, gazon, twee terrassen, een kasje, opslaghokken voor het hout van mijn kachel en een kippenren. Aan de andere kant van het dorp heb ik een moestuin van zo'n 200 vierkante meter, waar veertig gewassen groeien: iets minder soorten, maar in grotere aantallen.

De eerste spinazie van het jaar komt uit het kasje bij huis. Als die opgegeten is, verhuizen de tomatenplantjes van de vensterbank naar de kas.

Eetbare planten rondom mijn huis

Kruiden:
basilicum
bieslook
bonenkruid
citroenmelisse
daslook
hop
kervel
koriander
laurier
lavas
majoraan
munt
peterselie
rozemarijn
salie
tijm

Fruit:
aalbessen: wit en
rood
aardbei
appel (Lunterse
pippeling en
Elstar)
druif (blauw en
wit)
framboos
krent
kweepeer
(lei)peer
(Callebasse
Tirlemont en
Beurré Bosc)
lijsterbes
meidoorn
mispel

roos (bottels)
sleedoorn
vijg
vlierbes
zwarte bessen

Groenten:
aardpeer
rucola
spinazie (kas)
tomaten (kas)

Eetbare bloemen:
jasmijn
lievevrouwe-
bedstro
vlierbloesem

Noot:
walnoot

Smakelijk onkruid:
brandnetel
madelief
muur
paardebloem
pinksterbloem
teunisbloem
zevenblad

Daslook (links) en Marokkaanse munt (rechts)

Eten uit mijn moestuin

Vaste planten:

aalbessen
aardbeien (2 rassen)
braam
eeuwig moes (koolgewas)
framboos (2 soorten:
zomer- en herfst-
frambozen)
groene asperges
kruisbessen
mierikswortel
munt (voor de winter)
pruim
rabarber
zwarte bessen

Eenjarigen:

aardappelen (soms sla ik
een jaartje over omdat ze
nogal ziektegevoelig zijn)
bieten (2 rassen)
boerenkool
borage (komkommer-
kruid)
courgettes
dille
doperwten
goudsbloem
kievitsbonen
kropsla (4 soorten)
meiraap
Oost-Indische kers

pastinaken
pompoenen
prei
raapstelen
radijsjes
rucola
sperciebonen
spinazie
suikermaïs
tuinbonen
tomaten
uien (rode en gele)
veldsla
winterpostelein
zomer- en winter-
wortelen

Eerste oogst van het seizoen: prei, winterpostelein en rabarberbloemen

Tips voor beginnende tuiniers

Kruiden

Voor de beginnende zelfvoorziener én voor mensen met geen of weinig grond, zijn kruiden heel geschikte starters. Omdat ze makkelijk te telen zijn en weinig ruimte vragen, maar wél heel veel toevoegen aan je eten en drinken: smaak, afwisseling en (genees)kracht. Bovendien zijn ze vaak ook nog erg mooi en trekken ze allerlei vlinders en andere insecten, die het in ons gifrijke land verder nogal moeilijk hebben. Het handige van kruiden is dat je ze vaak dichtbij je keuken kunt laten groeien omdat ze weinig plek vragen, zodat je er voor of tijdens het koken makkelijk wat van kunt plukken of snijden. Planten hebben zon nodig. Mocht je dus alleen een vensterbank, gevel, balkon of tuin op het noorden hebben, dan wordt zelf je kruiden, fruit en groenten telen lastig, al zullen peterselie en bieslook het op een vensterbank op het noorden wel een tijdje uithouden. Maar basilicum zal bijvoorbeeld spoedig wegkwijnen. Verder is het belangrijk het onderscheid tussen één- en meerjarige planten te weten. De eerste, zoals koriander en basilicum, moet je regelmatig opnieuw zaaien, wil je kunnen blijven oogsten. Andere planten als salie, rozemarijn en tijm gaan jarenlang mee, ook al oogst je er flink van, mits je ze maar goed verzorgt.

Kruiden kunnen zelf worden gezaaid of als plantjes gekocht. Bij zelf zaaien kun je bijvoorbeeld oude champignonbakjes gebruiken met grond uit de tuin, aangevuld met zand, die je op een warme plek zet, zoals een vensterbank op het zuiden. Houd de planten vochtig door te sproeien met een plantenspuit. Peterselie, basilicum en bieslook zaai je direct in de potten waarin je ze wilt opkweken. De meerjarigen plant je over van het zaaibakje naar de potten of bakken, waarbij je één of twee plantjes per pot zet. Niet alle soorten zaden kiemen even snel: tuinkers staat bijvoorbeeld binnen een paar dagen boven de grond, terwijl peterselie veel langer duurt. De grond waarin de kruiden worden opgekweekt, moet niet te arm zijn (bijvoorbeeld alleen zand), maar ook niet al te rijk (dat wil zeggen vruchtbaar, met veel voedingsstoffen): sommige kruiden, zoals tijm, houden niet van al te rijke grond.

Je eigen compost
Je kruiden en planten moeten ergens in groeien, dus koop je potgrond in de tuinwinkel, zou je denken. Het probleem is dat daarin bijna altijd turf zit. Turf wordt gewonnen uit veengebieden die er honderden tot duizenden jaren over doen om aan te groeien. Turf is dus een niet-hernieuwbare fossiele grondstof, en bij het gebruik komt extra CO_2 vrij. Daarmee draagt het bij aan klimaatverandering. Bovendien worden voor de turfwinning kwetsbare natuurgebieden verstoord. En dan wordt er meestal ook nog eens kunstmest aan potgrond toegevoegd, waarvan de productie evenmin duurzaam is: die vraagt veel energie en er worden niet-hernieuwbare grondstoffen voor gebruikt. Daarnaast verwent kunstmest planten te veel: ze groeien er wel hard van, maar bevatten vervolgens minder waardevolle voedingsstoffen en levenskracht.

Wat stop je dan wel in je potten en bakken? Je zou Cocopeat kunnen kopen, gemaakt van de kokosvezels die overblijven bij de productie van allerlei kokosproducten. Duurzamer dan turf, maar het komt wel van ver weg. Het beste is daarom je eigen compost te gebruiken, aangevuld met wat mest van boeren uit de buurt.

Voor werken aan een kleinere voedselcirkel is je eigen compost maken een must. Van je groene keukenafval, aangevuld met snoei- en gewasresten uit de tuin. Het meeste groenafval in Nederland wordt in bakken of containers aan de weg gezet. Waarna vrachtwagens het komen ophalen, het met inzet van energie wordt gecomposteerd, in zakken wordt gedaan en dan verkocht wordt als compost. Beter dan compost van turf, maar nog steeds een merkwaardige, omslachtige en onnodig verspillende omweg.

Er zijn verschillende manieren van composteren. De keuze voor een van die systemen hangt vooral af van de grootte van je tuin. Als je veel ruimte hebt, kun je kiezen voor een composthoop of een open compostbak, met een anderhalf à twee meter grote basis en anderhalve meter hoogte. Het voordeel van een (getimmerde) bak is dat je de composterende groenmassa een beetje in bedwang kunt houden. De composthoop of -bak moet op de 'blote' grond komen, dus niet op tegels of een andere versteende ondergrond: vanuit die grond komen namelijk de wormen, die jouw broccolistronken, koffiefilters en verlepte witlofblaadjes gaan omzetten in vruchtbare aarde.

Heb je niet zoveel ruimte, dan is een gesloten plastic compostvat geschikt, dat je bij tuincentra en soms ook bij milieueducatiecentra, de gemeente of afvalverwerker kunt aanschaffen. Ik gebruik deze compostvaten zelf ook, eentje bij huis en een in mijn moestuin (zie foto op pagina 28). Ik vind het telkens weer een verbazingwekkend wonderlijk proces. Bovenin de bak gooi ik bijna dagelijks een vergiet vol met groente- en fruitresten. Bovenop een laag niet zo vrolijk uitziende massa al schimmelende resten in allerlei kleuren. Onderin het vat kan ik een klep omhoogschuiven, waarna een volledig bruine, rullige, massa vol met wriemelende pieren zichtbaar wordt. Die schep ik er uit, waarna ik er jaarlijks, vermengd met wat koeienmest van boer Berrie Klein Swormink (zie foto op pagina 94), de prachtigste en smakelijkste tomaten op teel, in een kasje bij mijn huis.

Zelfs als je helemaal geen tuin hebt, kun je zelf je groenafval composteren, in de keuken, op je balkon of binnenplaatsje. Er zijn verschillende systemen, waaronder de wormenbak, die je zelf kunt maken of kant-en-klaar kunt kopen, inclusief een zakje wormen. Voor een zelfgemaakte wormenbak neem je minstens drie plastic bakken die je in elkaar kunt schuiven, bij voorkeur met een donkere kleur en geen doorzichtige bakken, want wormen zijn lichtschuw. Boor in de bakken, behalve de onderste, flink wat gaatjes, om de ongeveer 7 centimeter, met een diameter van ongeveer 6 millimeter, waar de wormen doorheen moeten kunnen. Op de bovenste bak komt een deksel. Daar moeten ook gaatjes in, ongeveer op dezelfde afstand. In de onderste bak lekt het vocht uit de compost in wording. Zet de eerste bak met gaatjes in de vergaarbak. Doe in de bovenste bak een handvol fijngesnipperd houtig materiaal (twijgjes, zaagsel), een handvol halfverteerde compost met de compostwormen (vraag een bevriende composteerder, of schaf ze aan; geen viswormen gebruiken, die zijn van een andere familie). Hier kan nu het fijngemaakte groente- en fruitafval in gedaan worden; het deksel gaat er bovenop. Als de laag zo'n 20 centimeter dik is geworden, zet je de volgende geperforeerde bak erin en volg je hetzelfde procedé als met de eerste bak. De bodem van de nieuwe bak moet de laag in de onderste bak raken: de wormen moeten lekker heen en weer kunnen kruipen tussen de verschillende lagen. De onderste laag kan worden gebruikt als die helemaal goed is gecomposteerd. Giet regelmatig wat vocht uit de onderste bak. Verdund met tien keer de hoeveelheid water is dat vruchtbare plantenvoeding.

Een andere methode is de Bokashi, Japans voor 'goed gefermenteerd organisch materiaal'. Daar komen geen wormen aan te pas. Met een 'Bokashi-starter' wordt je keukenafval in luchtdichte (dus niet-stinkende) toestand aan het fermenteren gebracht in de Bokashi-emmer. Onderaan zit een kraantje waaruit je dagelijks voedzaam sap voor je planten kunt tappen. De vaste massa is in de emmer na één à twee weken omgezet in vruchtbaar spul voor in pot of tuin.

Niet al het organische materiaal kun je zomaar in composthoop of -bak gooien. Citrusschillen mogen bijvoorbeeld wel, maar alleen als ze van biologische herkomst zijn: op gangbare schillen zit antischimmelmiddel dat het composteerproces tegenwerkt. En die gifmiddeltjes wil je sowieso niet in je plantenbak hebben. Eierschalen mogen wel, maar maal ze zo klein mogelijk en wees niet verbaasd als ze na een jaar nog steeds herkenbaar in de compost terug te vinden zijn. Bosjes bloemen uit de winkel zitten vaak vol met gif en doe ik om die reden ook niet bij mijn eigen compost. Bloemen uit eigen (gifvrije) tuin uiteraard wel; knip de stengels dan wel in kleine stukken met een snoeischaar. Ik zet mijn koffie zoals mijn moeder en oma het ook deden, door koffie op te gieten in een filter, die bij de compost gaat. Koffiepads bestaan voor een kwart uit kunststofvezels, die niet op de composthoop mogen. Over brood en gekookte etensresten zijn de compostdeskundigen het niet eens. Het trekt ongedierte zoals muizen en ratten aan, wordt gezegd. Oud brood en kliekjes gaan bij mij naar de kippen.

Zorg voor variatie. Een mengsel van vochtig en droog, grof en fijn, stevig en slap, koolstofrijk (zaagsel, boombladeren) en stikstofrijk (gras, mest en gewasresten) werkt het best. Heb je een heleboel gemaaid gras, gooi dat dan niet ineens bij de hoop: de boel wordt dan te vochtig en compact. Doe het in plaats daarvan in porties bij de compost. Er moet voldoende lucht in de hoop zitten. Daarvoor kun je zorgen door om de ongeveer zes weken met een mestvork de massa om te scheppen. Daardoor wordt het composteerproces versneld. Een half beschutte plek is het meest geschikt, zodat de hoop niet uitdroogt.

Meer potten op balkon en terras
Niet alleen kruiden, ook sommige andere eetbare planten zijn goed in potten en bakken te telen. Denk aan aardbeien, Oost-Indische kers, vijgen, tomaten, paprika, pepers en sla in allerlei soorten (kropsla, rucola). Sommige planten hebben veel zon nodig, zoals tomaten, terwijl aardbeien halfschaduw meer waarderen. Tomaten doen het het beste in een kasje. Buiten op

een zonnige plek kun je ze ook neerzetten. Maar zorg tegen de tijd dat de tomaten kleur beginnen te krijgen voor een afdakje. Regen op hun kop vinden ze niet fijn. Vooral niet omdat daarin de schimmelziekte *fytoftora* (ook funest voor familielid de aardappel) wordt meegevoerd, die je hele tomatenoogst kan vernietigen.

Potten en bakken (met gaten in de bodem voor de afwatering) hebben veel verzorging nodig, met name in de zomer. Op droge warme dagen moeten ze elke dag water hebben. Dus ook als je op vakantie bent. Het mooiste is om je planten met regenwater uit een ton water te geven. Aan beide kanten van mijn huis heb ik een regenton staan. Als na lang droog weer de tonnen leeg zijn, heb ik een pomp die grondwater oppompt, met elektriciteit van mijn zonnepanelen.

Ook in de winter vragen meerjarige potplanten aandacht. Sommige planten kunnen goed tegen de kou, zoals aardbeien en salie, anderen kunnen wat lichte vorst hebben, zoals rozemarijn. Maar denk er ook aan dat aardewerken potten kapot kunnen vriezen. Bij vorst moeten sommige planten en potten dus naar binnen, waarbij het belangrijk is dat het ook weer niet te warm is. Anders kunnen ze vroegtijdig gaan uitlopen. Binnen verder laten groeien is geen goed idee omdat het daar – zeker in de winter – te donker en te warm is voor volwaardige groei.

Fruit tegen de gevel

Mijn schuur heeft een muur op het zuiden, waar ik twee blauwe druiven tegenaan heb geplant. In de zomer is de hele muur met druivenplant én druiven bedekt en de planten strekken zich nu ook uit richting aanpalende carport aan de ene kant, en een muurtje op de grens met de buren aan de andere kant. Bakken vol met heerlijke blauwe druiven leveren de struiken. Het zijn druiven van het ras Blauwe Boskoop. Ik heb wat compost in het plantgat gegooid en geef ze af en toe wat verpulverde eierschalen: ze houden van kalk. Af en toe heb

Appelplukkorf met hengsel, die zich ook leent voor het plukken van andere fruitsoorten

je wat werk aan de druiven. Ze moeten gesnoeid worden: de hoofdsnoei (om te voorkomen dat de plant te veel woekert) kan het best in januari, voordat de sapstroom op gang komt. In de loop van het groeiseizoen in het voorjaar moet je ook minstens één keer flink snoeien in de nieuwe scheuten. Doe je dat niet, dan krijg je een matige tot slechte druivenoogst. De jonge bladeren zijn trouwens goed te eten: ik maak er weleens dolma's van: met rijst gevulde rolletjes.

Als de druiven kleur beginnen te krijgen, heb je meestal een probleem: de vogels. Merels lusten er wel pap van. Vandaar dat ik jaarlijks een paar uur bezig ben om netten over de druivenstruiken te spannen. Dat moet precies en strak, want die vliegende boefjes weten het kleinste gaatje richting druiven te vinden.

Eenmaal rijp blijven de druiven in de koelkast lang goed. Maar je kunt er ook heerlijk druivensap van maken én natuurlijk je eigen wijn.

Behalve druiven kun je ook ander (lei)fruit tegen een zuidelijke muur of schutting telen, zoals perzik en abrikoos. Peren doen het ook tegen muren of andere afscheidingen op het westen.

Een moestuin

Over moestuinieren zijn hele boekenkasten vol geschreven. Sommige boeken zijn zeker aan te raden. Zoals *De eerlijke moestuin* in deze *Genoeg*-reeks van Annemiek van Deursen. Ook ervaren moestuinders pakken er nog geregeld een boek bij. Maar laat je daardoor niet weerhouden om gewoon te beginnen. Praktijkervaring is de beste leermeester. Probeer dingen uit, telkens opnieuw, en realiseer je dat het niet vanzelf gaat. Behalve vele genoeglijke uurtjes en dankbaar stemmende oogsten, zul je ook altijd tegenslag tegenkomen.

Veel of weinig grond

Hoeveel grond heb je beschikbaar, wát voor grond is het en hoe ligt die erbij? Dat zijn de openingsvragen voor een beginnende groente- en fruittuinder. Die bepalen mede de opbrengst die de tuin gaat leveren en hoe de grond moet worden bewerkt. Kies je voor één vierkante meter tuin in een bak, waarin je sla en radijsjes kunt laten groeien? Dan is dat uiteraard een stuk minder bewerkelijk dan een halve hectare (één voetbalveld groot), waar ook fruitbomen groeien en schapen grazen. Daarvan kun je meer dan genoeg groenten en fruit voor een gezin halen. Met tweeënhalve hectare kun je ook nog eens je eigen graan voor brood verbouwen, koeien en varkens houden en dus in je eigen zuivel en vlees voorzien. Genoeg voor een gezin van zes personen, plus wat inkomsten door een deel van de oogst te verkopen. Maar dat houdt óók in dat je je hele leven inricht om je zelfvoorzienende boerderij te beheren. Elke dag moeten de beesten meerdere keren worden verzorgd, er zijn áltijd klussen op en rond de boerderij, het hele jaar door, voor alle gezinsleden. Dat moet je willen. Als je al tweeenhalve hectare grond hebt. We beperken ons hier daarom tot groenten en fruit.

Ook met kleinere stukjes grond kun je al snel in een flink deel van je eigen groenten en fruit voorzien. Met vijftig vierkante meter per persoon, dus 200 vierkante meter voor een gezin van vier personen, kun je in principe het jaar rond voldoende groenten telen. Met uitzondering van aardappels en fruit, want die vragen nogal wat ruimte. En mits je goed bemest, de ruimte efficiënt indeelt en je in een jaar twee teelten op één bed doet.

Voor de beginnende moestuinder is het beter om wat bescheidener te beginnen. Een klein maar goed ingericht en onderhouden moestuintje is productiever dan een grotere tuin waarover niet goed is nagedacht en waar te weinig tijd is om te bewerken, zaaien, schoffelen en oogsten. Na een of enkele jaren kun je – als de grond voorhanden is – je moestuin uitbreiden. Beschikbare tijd en ligging blijven belangrijk. Heb je een tuin bij huis, dan is het makkelijker om tussendoor eventjes een half uurtje onkruid te schoffelen dan wanneer je eerst een half uur moet fietsen voordat je op je landje bent.

Hoe kom je aan grond? Heb je een eigen huis met tuin, gehuurd of in eigen bezit, dan kun je daar uiteraard beginnen. Denk daarbij ook aan het gazon: is dat werkelijk nodig of alleen aangenaam? En heb je het wel helemaal nodig? Voor de kinderen misschien? Of zou het misschien een stuk kleiner kunnen? Je kunt daarbij ook aan het gazon aan de straatzijde denken, als dat tenminste niet de hele dag in de schaduw ligt. 'Wat zullen de buren daar wel niet van denken?' is misschien een vraag die bij je opkomt. Je kunt het ze vragen, als je het belangrijk vindt. Of gewoon doen: misschien wordt het wel een nieuwe trend, je voortuin vol met andijvie, tomaten en boerenkool.

Heb je geen of niet voldoende grond bij huis, dan ligt het het meest voor de hand je te melden bij een volkstuinvereniging. Vanwege de groeiende populariteit van het moestuinieren, zijn er tegenwoordig vaak wachtlijsten, al verschilt dat nogal door het land heen. Je kunt ook eens rondfietsen in de buurt, langs stads- en dorpsranden: misschien zijn er wel verwaarloosde stukjes grond. Als je de eigenaar weet te achterhalen, zou je kunnen vragen of die een stukje wil verpachten. Een advertentie zetten of een mail rondsturen met een vraag om een moestuin kan ook.

Ligging

Voordat je beslist of je in zee gaat met je kandidaat-stukje grond, is het verstandig om het stuk goed te bekijken. Met als hoofdvraag: hoe ligt het ten opzichte van de zon? Een stukje grond dat uitsluitend of voor een groot deel in de schaduw ligt, is weinig bevredigend: er zijn niet zoveel eetbare planten die daar goed gedijen. De meeste groenten hebben minstens zes uur zonlicht per dag nodig. Er zijn wel wat eetbare gewassen die op donkere stukjes groeien: daslook groeit bijvoorbeeld in een vochtige bos- en struikachtige omgeving. Maar hoewel dat een vreselijk lekkere plant is, kun je er niet op overleven.

De volgende vraag is: ligt de grond een beetje beschut? Nee? Dan valt daar wat aan te doen, door rondom struiken en hagen te planten, zodat je tuin niet pal in de wind ligt: de meeste groente- en fruitgewassen gedijen bij wat luwte.

Soort grond

Dan nemen we wat van de grond in onze handpalm en voelen en betasten die, door er met de vingers doorheen te graaien. Een beetje spuug of water erbij en nog eens draaien en voelen. Rol je er makkelijk een balletje van, dan is de grond kleiig. Blijft het een losse boel, dan is deze zanderig. Daarmee heb je de twee belangrijkste typen grond te pakken, met beiden hun voor- en nadelen. Kleigrond is vruchtbaar en houdt goed water en voedingsstoffen vast, maar is moeilijk om te bewerken, warmt in het voorjaar laat op en kan bij langdurig nat weer voor wateroverlast en rottende groenten zorgen. Zandgrond is veel makkelijker te bewerken, goed doorlatend en warmt snel op, waardoor vroeg in het voorjaar met zaaien kan worden begonnen. Keerzijde is dat de grond arm en dus weinig vruchtbaar is en water en voedingsstoffen slecht vasthoudt. Kleigrond vind je vooral langs de rivieren en in de polders. Mijn grond is zanderig, zoals de meeste gronden in Oost-Nederland. Elk jaar doe ik er een karretje koeienmest van boer Berrie op. In vijf minuten heeft hij met zijn shovel mijn aanhangwagen gevuld. Ik ben daarna de hele dag bezig om het in porties uit de aanhangwagen in de kruiwagen te scheppen en over mijn land te verdelen. Zodat ik de vruchtbaarheid van de grond op peil houd én de structuur: planten gedijen het beste in wat lossige rulle grond, vol met organisch materiaal, oftewel verteerde resten van planten en mest.

Welke groenten
Voordat ik eind februari, begin maart de mest op het land breng, heb ik een schema gemaakt: welke planten ga ik dit jaar waar zetten? Want wortelen houden niet zo van mest, terwijl boerenkool en prei juist een stevige stoot vruchtbaarheid nodig hebben om te floreren.

Daarmee komen we bij de volgende vraag: welke groenten en welk fruit ga ik telen? Aardbeien bijvoorbeeld. Wie is daar níet dol op? En worteltjes, ook zo'n smakelijke plant waaraan weinig mensen een hekel hebben. Verse doperwtjes dan: zó lekker, terwijl ze bijna nooit te koop zijn. Er komt wel het een en ander kijken bij de teelt van die doperwtjes, maar het is de moeite waard. De vraag wat je lekker vindt is dus een geschikte beginvraag voordat je aan het zaaien slaat, maar niet de enige.

Ik ben bijvoorbeeld dol op knolselderij. En heb dan ook verschillende jaren geprobeerd om een productieve knolselderijteler te worden. Zaaien, lang wachten, de plantjes voorzichtig uitplanten in potjes, na verloop van tijd voorzichtig overplanten, niet te diep, maar ook niet te ondiep, want voor de ontwikkeling van de knol moeten de plantjes op de juiste hoogte boven de grond uitkomen. In mooie humusrijke grond. Maar met karig resultaat: telkens weer bleven het miezerige knolletjes. Daarom heb ik het opgegeven en koop ik mijn knolselderij voortaan bij tuinderij Haverkamp van Jopie Duijnhouwer en Heleen Hennink (zie foto's op pagina 96 en 97), die hun knolselderij in vruchtbare oude esgrond verbouwen en die dus wel fatsoenlijke knollen oogsten.

Sommige groenten leveren meestal weinig problemen op en zijn dus geschikt voor de beginnende moestuinder. Voorbeelden zijn tuinbonen, rabarber, courgettes, bieten, kropsla, ru-

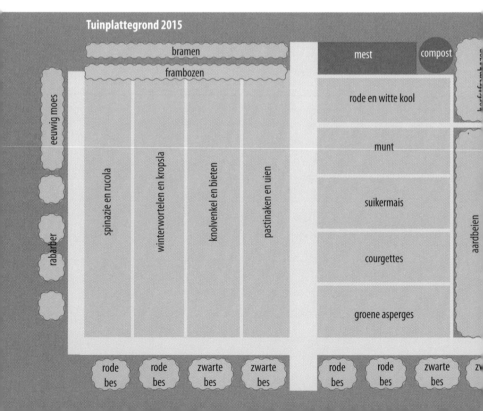

Tuinplattegrond 2015

cola, andijvie, sperziebonen en boerenkool. Aalbessen – rode, witte en zwarte – leveren meestal ook een boel fruit zonder dat je er al te veel voor hoeft te doen, behalve een beetje snoeien en tijdig een net erover tegen de vogels. Ook mijn twee appelboompjes en mijn ene pruimenboom hebben al overvloedige oogsten gegeven. Als je met tuinieren begint, en het plannen van de inrichting van de tuin, is het goed om dergelijke vaste bomen en struiken als uitgangspunt te nemen. Zet ze aan de randen van de tuin, zodat ze voor beschutting zorgen. Houd wel rekening met eventuele buurtuinders. Die zullen er niet altijd blij mee zijn als jouw appelboompje het zonlicht weghoudt van hun asperges of kropjes sla.

Plattegrond
Als je je vaste planten hebt gepoot, zet je ze in een tekening, een plattegrond van je tuin, waar je ook de paden hebt inge-

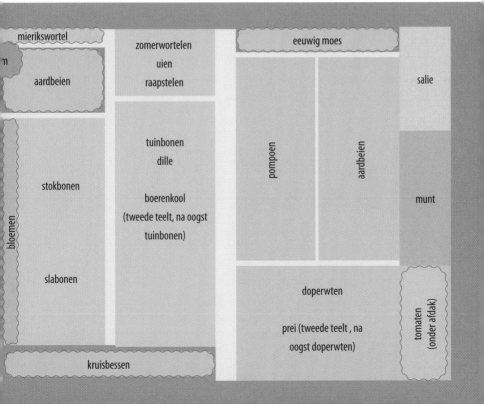

tekend. Vervolgens maak je een lijstje met welke groenten je het komende jaar wilt gaan verbouwen. Het handigst is het om dat in de donkere winterdagen van december, januari en februari te doen. Fysieke arbeid in de tuin is er dan meestal nauwelijks, behalve wat snoeiwerk. Bovendien is het binnen bij de kachel prettig vooruitblikken. Als je weet welke groenten je wilt gaan verbouwen, kun je zaadgoed gaan bestellen. Bij voorkeur bij biologische zaadbedrijven. Of je kunt proberen te ruilen met andere (ervaren) tuinders. Nadeel daarvan is dat niet alle zaden lange tijd kiemkrachtig blijven: van veel zaden gaat de kiemkracht na verloop van tijd achteruit. Soms is één jaar oud zaad al niet meer geschikt, zoals van pastinaak.

Wachtend op je bestelling, kun je de te planten groenten gaan intekenen in je plattegrond. Zodat je helder hebt waar je wat gaat zaaien en planten. Dat is ook belangrijk voor het daaropvolgende groeiseizoen. De meeste planten kun je namelijk beter niet twee jaar achter elkaar op hetzelfde stukje grond zetten; beter is 'gewasrotatie' of 'vruchtwisseling'. Om verschillende redenen. Eentje is dat verschillende planten uiteenlopende dingen van de grond vragen. Je hebt de veelvraten, zoals de kolen, de courgettes en pompoenen die veel meststoffen nodig hebben. Wortels en bonen zijn veel minder veeleisend. Op de plek waar je het ene jaar de veelvraten zet, plan je voor volgend jaar de zuiniger planten. Een andere reden is dat ziekten en plagen, die altijd en overal op de loer liggen, ten dele in de bodem huizen. Maar terwijl de ene schimmel of het ene insect vervelend is voor de rode kool, is die dat niet voor de wortel, die weer van andere beestjes last heeft. Verbouw je jaar in jaar uit dezelfde groenten op hetzelfde stuk, dan verwen je de bedreigers van de betreffende groenten zozeer, dat ze een groot probleem worden. Maar de koolbedreigers, die zich in het kooljaar flink hebben kunnen ontwikkelen, krijgen het moeilijk als het jaar daarop wortels op hun stukje grond staan.

We verdelen de tuin in minstens vier 'gewasgroepen' (bijvoorbeeld kolen, bonen, aardappelen en overige), waardoor het vier jaar duurt voordat een bepaalde groente weer in het zelfde tuinvak groeit. Sommige moestuinders hanteren een nog ruimere rotatie, bijvoorbeeld van zeven groepen. Voor sommige planten, zoals aardappels, is het belangrijk om meer dan vier jaar te wachten voordat je ze weer op dezelfde plek neerzet. Maar het moet allemaal wel praktisch blijven. Het is een flinke puzzel als je consequent een vier- of meerjarig schema wilt aanhouden. Het komt bij mij weleens voor dat ik bijvoorbeeld bonen op een plek zaai waar ze twee jaar geleden ook al stonden. Mijn idee is dat die bonen dat niet zo erg vinden: hoe langer je tuiniert, hoe meer je durft te vertrouwen op eigen ervaring en gezond verstand.

Misschien denk je in het begin van het plannen van je tuin: ik onthoud wel wat waar stond. Voor de meeste tuinders blijkt dat toch een zware overschatting van hun geheugen. Een ingetekende plattegrond is dus een noodzakelijk hulpmiddel voor de verstandige groente- en fruitteler.

Grond bewerken
Voordat je gaat zaaien, moet de grond bewerkt worden. 'Spitten of niet spitten' is daarbij een van de grote twistpunten, vooral onder milieuvriendelijke tuinders. Spitten is nodig om onkruiden onder de grond te krijgen én de grond luchtig te houden. Zeker bij land dat voorheen niet als moestuin werd gebruikt, is spitten of zelfs (laten) ploegen nodig. Is de grond eenmaal in gebruik voor groenteverbouw, dan wordt de vraag wat moeilijker. De aanhangers van niet-spitten zeggen: de bodem is zorgvuldig opgebouwd uit allerlei laagjes. Zuurstofminnende bacteriën en andere waardevolle micro-organismen huizen in de bovenlaag, en meer op donkere ondergrond ingestelde wriemelbeestjes en -schimmels zitten dieper. Ga je spitten, dat wil zeggen de grond omkeren, dan gooi je alles in de

war, wat ten koste gaat van de vitaliteit van de bodem. Dat kan zo zijn. Maar als het land aan het begin van het jaar volstaat met onkruid, dan spit ik de boel toch maar om. Bij zandgrond

In de moestuin, op de mesthoop

is dat trouwens makkelijker gedaan dan bij kleigrond, waarvan de bewerking loeizwaar is. Ik heb nóg een reden dat ik elk jaar aan het begin van het zaaiseizoen spit. Na de oogsttijd in de herfst, zaai ik grote delen van mijn tuin in met wintergerst als bodembedekker, om te voorkomen dat de grond er maandenlang kaal bij ligt. Met twee hoofddoelen: onkruiden krijgen geen kans als die winterharde wintergerst is ontkiemd en deze zorgt bovendien voor mooie begroeiing. Ten tweede nemen die vele wintergerstplantjes nog in de grond aanwezige voedingsstoffen op. Was de grond kaal gebleven, dan was veel vruchtbaarheid uit de zandgrond weggespoeld. Zonde. De wintergerst slaat die voedingsstoffen op in stengels en bladeren. Die planten van 20 à 30 centimeter groot moeten in het begin van de lente wel weer plaatsmaken voor de gewenste sla, tuinbonen en bietjes. Omspitten dus: de wintergerstplantjes verteren dan ondergronds; de vruchtbaarheid komt weer beschikbaar voor nieuwe groenteoogst.

Compost en mest
Groenten en fruit uit je tuin halen zonder de grond er iets voor terug te geven, hou je niet lang vol, zeker niet op zandgrond. Voor wat hoort wat. Door te oogsten, haal je vruchtbaarheid uit de grond, die er op de een of andere manier weer in moet, wil je nieuwe oogsten blijven krijgen. Compost en beestenmest gebruiken we daarvoor. Geen kunstmest, en het beste zou het zijn om menselijke urine en poep te gebruiken (zie pagina 50/51). Het bemesten doe je aan de hand van je plattegrond. Op de plekken waar tuinbonen en wortelen komen, breng je geen verse mest op: de eerste hebben het niet nodig en de tweede vinden het niet fijn. Maar daar waar aardappelen, prei, spinazie en boerenkool zijn gepland, mag zeker een portie mest. Zware, nog behoorlijk verse mest spit je onder. Is de mest al grotendeels verteerd en los en humusachtig geworden, dan kun je deze ook ná het spitten op de grond brengen.

Kunstmest en menselijke urine en ontlasting

Een groot deel van de landbouw gebruikt kunstmest om het land vruchtbaar te maken. Er zijn ook veel hobbytuinders die het gebruiken. Kunstmest bestaat uit in de fabriek gemaakte witte korreltjes, met daarin meestal de drie belangrijkste voedingsstoffen voor planten: stikstof, fosfaat en kalium. Om verschillende redenen gebruik ik geen kunstmest, zoals biologische boeren en tuinders dat ook niet doen. Het voordeel van kunstmest is dat de voedingsstoffen daarin snel door de plant worden opgenomen. Misschien zelfs wel té snel, waardoor de groenten worden verwend, wat minder levenskrachtige planten oplevert. Ze zijn vatbaarder voor ziekten en plagen, minder smakelijk en minder voedzaam.

Daarbij komt dat kunstmest, anders dan dierlijke mest, niet bijdraagt aan een gezond bodemleven. Bovendien spoelt een deel van de voedingsstoffen uit kunstmest makkelijk uit naar het grond- en oppervlaktewater, wat voor overbemesting zorgt en daarmee slecht is voor de diversiteit van planten en dieren in de natuur. Tel daarbij op dat de productie van kunstmest veel energie kost en dat een van de ingrediënten, fosfaat, een eindige grondstof is: het einde van de fosfaatvoorraden op aarde begint in zicht te komen. Kunstmest gebruiken past dus niet bij het werken aan een kleinere voedselcirkel.

Toch moet ik toegeven dat er een belangrijk 'mestgat' zit in mijn eigen voedselcirkel. Zoals in mest van dieren belangrijke voedingsstoffen zitten, zitten die ook in menselijke poep en pies. Die vruchtbaarheid wordt door mij en vrijwel alle andere Nederlanders door de wc gespoeld. Doodzonde! En niet nodig. Zoals de geschiedenis leert. Die van ver weg: de traditionele Chinese landbouw was duizenden jaren lang behoorlijk productief dankzij het efficiënte gebruik van menselijke urine en ontlasting. In ons eigen land was tot zo'n vijftig jaar geleden de 'eau-de-colognewagen' in veel steden een bekend verschijnsel: die haalde tonnetjes mensenpoep op uit huizen zonder riolering. Die werden geleegd op de composthopen van tuinders en van schooltuintjes. Onhygiënisch? Niet als er goed mee wordt omgegaan: binnenin goede composthopen ontstaan tijdens het verteringsproces hoge temperaturen, die alle eventuele ziektekiemen doodmaken. Als je vervolgens de boel ook nog eens drie jaar laat rusten, kan er weinig fout gaan. Wil je hiermee aan de slag, dan vergt dat uiteraard thuis wel wat aanpassingen: je zult met zoiets als een composttoilet moeten werken. Tot die tijd kun je al wel geregeld op je composthoop wateren: in urine zit veel fosfaat. Overigens moet je het misschien maar niet doen als je medicijnen gebruikt, zoals antibiotica of de pil. Krijg je anders onvruchtbare worteltjes? Nou nee, maar vanwege de overdosis oestrogeen in ons milieu komen er wel steeds meer hermafrodiete slakken, visjes en kikkers.

Zaaikalender

Is de grond eenmaal bevrucht en op orde, dan kan het zaaien beginnen. Wat, wanneer en hoe: de verpakkingen geven vaak voldoende aanwijzingen. Het is handig daarvoor een kalender te maken. Ik neem daarvoor een liggend vel A4. Verticaal zet ik de maanden februari tot en met oktober, horizontaal de te verbouwen groenten. Zo kan ik makkelijk zien wat ik wanneer moet zaaien. Sommige plantjes zaai ik binnen voor, zoals prei (die je trouwens vaak ook als plantjes kunt kopen), de eerste slaplantjes, tomaten, courgettes en pompoenen. Andere kunnen direct de grond in. Tuinbonen, raapstelen, rucola en spinazie zijn vaak de eerste zaaisels direct in de grond. Als het niet al te koud en nat is kunnen de tuinbonen eind februari, begin maart de koude grond al in. Altijd een feestelijk moment. En opgetogen en blij ben ik een paar weekjes later helemaal als ze met hun eerste frisgroene lobblaadjes boven de grond uitpiepen.

'Onkruid'

Zodra het warmer begint te worden en de dagen flink gaan lengen, groeien je groenten steeds rapper. Maar niet alleen je zo begeerde spinazie, sla en bietjes, ook allerlei andere groene sprietjes kunnen zomaar spontaan omhoog komen: 'onkruiden'. Ze strijden met je prille zaaisels om licht, lucht, water en voedingsstoffen. Doe je niks tegen die 'ongewenste' planten, dan houd je weinig gewilde groenten over. Onkruiden ontkiemen niet voor niks in je tuin, daar voelen ze zich blijkbaar thuis. Daarom zijn ze sterk, krachtig en overheersend. Een stuk grond waar je niks aan doet, is binnen de kortste keren overgenomen door wild groen. Dat is niet alleen zo op kale grond, maar uiteindelijk zelfs op asfalt en beton. Zoals Ida Gerhardt zo mooi dichtte in 'Lof van het onkruid':

Godlof dat onkruid niet vergaat.
Het nestelt zich in spleet en steen,
breekt door beton en asfalt heen,
bevolkt de voegen van de straat.

Achter de stoomwals valt weer zaad:
de bereklauw grijpt om zich heen.
En waar een bom een trechter slaat
is straks een distel algemeen.

Als hebzucht alles heeft geslecht
straalt het klein hoefblad op de vaalt
en wordt door brandnetels vertaald:

'Gij die miljoenen hebt ontrecht:
zij komen – uw berekening faalt.'
Het onkruid wint het laatst gevecht.

Uit: *Vijf vuurstenen* (Athenaeum-Polak & Van Gennep, 1974)

In zekere zin heeft het wel wat geruststellends dat het onkruid uiteindelijk het laatste gevecht wint. Het is ook heel leerzaam: de natuur is ons uiteindelijk de baas. Ook in de tuin.

We hoeven niet al het onkruid fanatiek te attaqueren, zoals veel tuinders wel doen. Want wat 'onkruid' is, is nogal relatief, zoals je ook in hoofdstuk 4 zult ontdekken. Veel plantjes die we onkruid noemen, zijn eigenlijk zeer voedzame groeisels. Realiseer je dat de groenten die jij hebt gezaaid, oorspronkelijk ook allemaal wilde voorouders hadden. Paardebloemen zijn bijvoorbeeld familieleden van de kropsla en andijvie, en uitstekende voorjaarsgroenten. Vroeg in het voorjaar staat mijn tuin, nog voordat de eerste spinazie en raapstelen in de koude bak (een stukje grond onder een glasplaat om de teelt te vervroegen) kunnen worden geoogst, vol met het plantje kleine veldkers. Een zeer smakelijk en daarom welkom onkruidje. Maar goed, je wilt nu eenmaal ook veel aardappels, pompoenen en prei. Op díe plekken betekent dat dan toch echt dat je de natuurlijke concurrenten te lijf moet gaan: uittrekken of schoffelen. Dat laatste kost stukken minder tijd dan uittrekken. Maar soms staan de onkruiden zo dicht bij je gewenste groenteplanten, dat er niks anders opzit dan met de hand uittrekken. Hoe eerder je onkruid schoffelt of uittrekt, hoe makkelijker: volgroeid onkruid verwijderen is moeilijker dan klein spul. Regelmatig wieden is dus het devies, meerdere keren per week. Al moet ik toegeven dat dat bij mij soms theorie is. In de praktijk komt het er niet altijd van met de gewenste regelmaat te schoffelen en wieden. Waardoor het op de tijden dat het me wél lukt om er tijd voor vrij te maken, extra tijd en inspanning kost.

Kleine veldkers

Geen chemische bestrijdingsmiddelen

Vruchtwisseling, onkruid trekken, schoffelen – je zou kunnen denken, wat een gedoe, ik bestrijd onkruid en ook ziekten en plagen wel met chemische middeltjes. Niet doen, om verschillende redenen. In de eerste plaats: het kost geld en maakt je afhankelijk van grote chemische bedrijven. In de tweede plaats: het is schadelijk. Behalve voor je niet gewenste kruiden, slakken en kool-aanvretende rupsen is het dat óók voor insecten, plantjes, dieren die niet schadelijk zijn maar óók in de natuur leven – en uiteindelijk ook voor jezelf en de wereld: de drinkwaterbedrijven zijn jaarlijks honderd miljoen euro kwijt om bestrijdingsmiddelen uit het drinkwater te halen. Dat het om officieel door de overheid goedgekeurde middeltjes gaat, zegt weinig. Onder druk van de chemische industrie laat de overheid middelen toe die op den duur tóch schadelijk blijken.

Zo was het in de jaren vijftig met het extreem giftige DDT, zo is het nu met de extreem giftige neonicotinoïden, die mede verantwoordelijk zijn voor het verdwijnen van de bijen. En zo is het ook met het onkruidbestrijdingsmiddel met de merknaam Roundup. 'Onschadelijk' werd vele jaren door de overheid, boeren én vele hobbytuinders gezegd en gedacht. Nu het toch schadelijker is dan men dacht, wordt het tóch maar vast verboden voor hobbytuinders. Vreemd genoeg mogen de professionele boeren en tuinders het voorlopig wel blijven gebruiken.

Er zijn twee verstandige manieren om met ziekten en plagen om te gaan. Eén: je handjes laten wapperen: onkruid wieden, koolrupsjes en coloradokevers (op de aardappelen) handmatig weghalen. Twee: diversiteit. Elk jaar gaat er wel wat mis in de moestuin. De rode kool heeft last van knolvoet, woelratten vreten de bieten aan en de aardappelen krijgen last van de gevreesde schimmelziekte fytoftora. Maar wie veel verschillende soorten groenten en fruit teelt, zal merken dat er altijd óók een boel wel goed lukt. Spreiding van risico is dus een belangrijke leidraad voor zelfvoorzieners.

Oogsten

Oogsten van je eerste zelf geteelde aardappelen, rucola, zwarte bessen, tomaten en peterselie geeft een groot gevoel van voldoening. De inspanningen met hoofd, hart en handen zijn niet voor niks geweest. Wie een beetje goed plant, kan een groot deel van het jaar of zelfs het hele jaar rond oogsten van zijn eigen lapje grond. Voor wie nog weinig ervaring heeft, hier wat tips om zo lang mogelijk te kunnen oogsten:

• Zaai verschillende rassen van een groente. Je hebt bijvoorbeeld vroege en late spinaziesoorten.
• Zaai sommige gewassen met tussenpozen. Kropsla is een goed voorbeeld. Wil je een flink deel van het jaar je eigen slakropjes eten, dan zul je met tussenpozen van ongeveer twee weken moeten zaaien. Je kunt in februari al sla voorzaaien in een kas. Ik heb het ook wel in de vensterbank geprobeerd, maar dat werd geen succes: je krijgt dan (meestal) rare, te lange en slappe plantjes. Sla kan kapotvriezen. Maar bij dreigende vorst in het voorjaar (tot half mei) en in het late najaar kun je je slaplanten 's nachts afdekken met plastic folie, waardoor ze tegen de vorst worden beschermd: langer sla. Als het wat steviger gaat vriezen, overleven kropsla en andijvie het niet, ook al heb je ze afgedekt.
• Veldsla en winterpostelein kunnen behoorlijk wat vorst hebben, zodat je zelfs midden in de winter je eigen sla kunt eten. Datzelfde geldt ook voor sommige groenten met een flinke voedingswaarde (die sla niet zo heel veel heeft). De aardappel kan bijvoorbeeld beslist niet tegen vorst. Maar de pastinaak, volksvoedsel voordat de aardappel ingeburgerd raakte, kan prima vriesweer doorstaan. Datzelfde geldt voor aardperen. Midden in de winter de verder behoorlijk kale tuin inlopen en – mits de grond niet dichtgevroren is – wat eetbare knollen opgraven: prachtig vind ik dat. Nog lekker ook, bovendien zorgend voor de nodige afwisseling

in de keuken. Vergeet ook vooral niet de oude bekende Hollandse wintergewassen prei en boerenkool. Trots staan ze in weer en wind in de tuin, zelfs met flinke pruiken van sneeuw op hun kop. Als ik in het voorjaar mijn eerste nieuwe spinazie oogst, eet ik meestal ook nog van de laatste preien. De resterende boerenkoolplanten beginnen zelfs nieuw jong fris blad te krijgen als de temperatuur wat begint op te lopen.

• Een koude bak is handig om de eerste oogsten te vervroegen. Dat is een houten bak van, in mijn geval, ongeveer 1 bij 2 meter breed, 50 centimeter hoog met een oud raam in een kozijn er bovenop. Zo kan ik eerder mijn eerste raapstelen, radijsjes en spinazie eten dan wanneer ik deze planten direct in de koude grond zaai.

• Bij huis heb ik een kasje van 1,90 bij 1,60 meter, waarin ik kan staan. Niet groot dus, maar toch een grote vreugde. Vanaf februari kweek ik er de eerste spinazie op, plus allerlei ander jong groentegrut dat later in het voorjaar in de tuin wordt uitgepoot. Als dat eenmaal is gebeurd, komt de kas vrij voor de binnen op de vensterbank opgekweekte tomatenplantjes. Vanaf eind juli kunnen dan de eerste tomaatjes worden geoogst. In de extreem lange zachte herfst van 2014 oogstte ik in november nog mijn eigen tomaatjes. Verder staat er in de kas in de zomer ook altijd basilicum. En in de herfst haal ik wat slaplanten uit de tuin in de kas, zodat ze daar wat langer kunnen doorgroeien.

• Sommige planten laten zich uitstekend bewaren, zoals aardappelen, uien, bieten en (winter)wortelen. Daarnaast kun je je oogst op uiteenlopende manieren verwerken en zodoende lange tijd 'oogsten' uit je voorraadkast. Drogen, inmaken, vriezen, wecken, fermenteren, noem maar op. Omdat de keuken daarbij een hoofdrol vervult, lees je daarover meer in hoofdstuk 6.

Je eigen kipjes

Ben je geen veganist en heb je een beetje ruimte, dan is het geen slecht idee een minimum aan kleinvee te houden: kipjes. In Belgisch Limburg deelt de 'afvalintercommunale', zeg maar de vuilnisophaaldienst, sinds een paar jaar kortingsbonnen uit waarmee bewoners kippen kunnen aanschaffen. Levende, wel te verstaan. Dat gebeurde: ruim 6.000 gezinnen kochten in 2014 in totaal meer dan 15.000 kippen, waardoor de afvaldienst bijna eenderde minder groenafval hoeft op te halen. Want de Belgen doen wat ik ook doe: appelschillen, broccolistronken, rijstrestjes, bijna verschimmelende broodresten en aangekoekte kaasgratinkorsten bij de kippen gooien. Een kip 'verwerkt' wel 150 gram keukenafval per dag, zo'n 50 kilo per jaar. Je krijgt er bovendien ook nog eens gratis eieren én mest voor terug. Kippen passen dus prima bij de kleinere voedselcirkel. De kippen moeten wel buiten kunnen rondscharrelen en krabbelen, een stofbad kunnen nemen, een nachthok hebben waarin ze op stok kunnen en een schemerig leghokje.

MINIMALE UITLOOP VOOR KIPPEN

Ras	Gewicht	Nachthok per kip	Uitloop/ren per kip
Zware rassen	vanaf 3 kg	1 m²	1,5 m²
Middelzware rassen	2 tot 3 kg	0,85 m²	1,35 m²
Lichte rassen	1,5 tot 2 kg	0,70 m²	1,2 m²
Krielrassen	minder dan 1,5 kg	0,55 m²	1 m²

Meer ruimte is beter en het is helemaal mooi als ze vrijelijk en onbeperkt buiten rond kunnen scharrelen. Alleen moet je er dan wel voor zorgen dat ze niet bij je groentetuin kunnen komen.

Ik laat mijn vier kipjes af en toe los in mijn dorpstuin, waarbij ze behalve tussen de bessenstruiken en andere perkjes ook allerlei smakelijks in het gras weten te vinden.

Toch moet ik eerlijk toegeven dat ik mijn kippen als aanvulling wel ingekocht legvoer geef: met alleen de groenten, brood- en aardappelresten hebben ze niet genoeg en ze moeten ook wat graan krijgen. Ik hoop dat ik een keer een boer in de buurt vind die het juiste graan voor mijn kipjes levert.

Mijn kippen voorzien me een deel van het jaar van eieren: jaarlijks zo'n 225 per kip. De mest die in het hok belandt, schep ik er regelmatig uit en doe ik op de composthoop: kippenmest is zó krachtig, dat het niet verstandig is om het rechtstreeks aan de planten te geven. Wel schep ik ook één keer per jaar de bovenste laag grond uit de kippenren en doe die bij de bessenstruiken. De rode klimroos, die vanuit de kippenren groeit, doet het altijd fantastisch: waarschijnlijk vanwege de vruchtbaarheid uit de kippenpoep.

Tussen de kippen van zorgboerderij De Heihoeve

Het slachten van je kip

Behalve eieren, mest en veel lol – kippen zijn grappige beestjes – hebben de kippen me inmiddels nog wat gegeven: vlees. Want na lang aarzelen heb ik de stap gezet mijn eigen kippen te slachten.

Ze waren al lang van de leg af, mijn kipjes die ik vanuit de huiskamer een paar jaar had zien rondscharrelen in hun ren. Ze hadden me heel wat eitjes gegeven, maar ze waren ermee gestopt, terwijl ik toch heel graag weer nieuwe eieren wilde rapen. Ruimte voor extra kippen is er zeker niet. Dus... was dan toch het moment gekomen om ze te slachten? Vroeger als kind heb ik dat mijn vader wel zien doen, maar zelf had ik dat nooit gedaan. Ik ben zelfs tien jaar vegetariër geweest. Tegenwoordig eet ik zo'n twee keer in de week vlees, biologisch, meestal van boeren uit de buurt. Mijn eigen kippen slachten past daar heel goed in. Sterker nog, wie wel eens vlees eet, zou ook moeten kunnen slachten. Dus heb ik de vier kippen in twee verhuisdozen gestopt en ben ik naar mijn vader gereden.

Mijn vader doodt de eerste kip, in zijn moestuin. Hij slaat de kip bewusteloos tegen een boomstam, legt de kip met zijn kop op de boomstam en hakt de kop er met mijn bijl af. Hij laat het bloed uit de kip lopen. De volgende kip doe ik. Omdat ik zelf het hout voor mijn kachel hak, weet mijn arm moeiteloos de slag met de bijl te maken.

Er is een groot verschil tussen een kip voor en na het slachten, merk ik. In tegenstelling tot het bezielde levende beest is de dode kip slechts een optelsom van vlees, veren en botten.

De koploze kippen gaan in een emmer mee naar het huis van mijn ouders. Aan hun strot hang ik ze aan een touwtje aan een balk. Mijn moeder heeft de messen geslepen. We kiezen dit keer voor de makkelijke weg, door het vel boven aan de hals in te snijden en dan van de kippen te stropen: eigenlijk jammer, want dat vel geeft juist veel smaak. Maar het plukken is een flinke klus – per kip ben je daar minstens zo'n half uur mee bezig – en bewaren we voor een volgende keer. Wat een geel vet, ongelooflijk, zó veel en zo geel. En het vlees is donker, het doet bijna aan wild denken. Door de ouderdom en het vele scharrelen is het vlees veel donkerder dan ik gewend ben van kippenvlees uit de winkel. Ik snij het kontje van de kip. Mijn handen gaan van onderaf in de kip. Het kippenlijf is nog warm, waardoor ik eraan word herinnerd dat het beest een uur geleden nog kakelde. Voorzichtig trek ik darmen, gal, lever, nieren, hartje en maag tegelijk naar buiten. Voorzichtig ja, want als je de galblaas kapottrekt, verpest je het vlees. De maag is het grootste orgaan, gigantisch. Vele malen groter dan het hartje. Een hard rond ding, dat als je het door midden snijdt nog vol zit met voer en door de kip opgepikte steentjes. Op de vloer van de schuur een smurrie van stront, bloed en veren. Het stinkt. Als ik in de keuken mijn handen sta te wassen, merk ik toch een beetje opluchting dat het achter de rug is.

Eén kip is voor mijn vader en moeder, de andere drie gaan mee naar huis. 's Avonds eten we de gebakken levertjes en in stukjes gesneden maag, die lang moet sudderen. Lekker. Kippen die een paar jaar oud zijn, zijn taai en in principe alleen geschikt als soepkip. Maar aan één van de grote kippen zit zoveel vlees, dat ik dat toch jammer vind. Ik besluit er coq-au-vin van te maken. Dat levert een stoofschotel op die mijn ene dochter niet wil eten: het beest dat ze heeft zien lopen, weigert ze te eten. Mijn andere dochter vindt dat stom: als je vlees eet, dan is dit toch juist het beste vlees. Mijn zoon, een carnivoor, zit sowieso enorm te smullen van de kip uit eigen tuin.

Een paar maandjes later zijn mijn vier nieuwe kuikens al flink uitgegroeid tot echte kippen. Alleen worden we op een zondagochtend gewekt door één van die 'dames' met luid gekraai. Ik vond al dat ze zo'n prachtige kam had gekregen... Niet veel later blijkt ook een van de andere kipjes een haan te zijn. Een paar weken zien we het aan, maar wát een geluidsvolume, niet tot genoegen van alle omwonenden. Dus op een gegeven moment gaan ook deze jongens voor de bijl. Dit keer doe ik het zelf, maar ik vraag mijn vader wel eerst alles nog eventjes stapsgewijs op een rijtje te zetten. Hieronder de checklist van mijn vader, voor wie ook zijn eerste kip gaat slachten. Of haan.

Andere dieren houden

Behalve met kippen heb ik zelf geen ervaring met het houden van beesten voor consumptie. Misschien in de toekomst. Als kleinschalige voedselproducent is het bijvoorbeeld een goed

Checklist kip slachten

1. Maak de kip bewusteloos door het dier met de kop tegen een boom te slaan of geef het beest een klap in de nek of breek de nekwervels (poten in de linkerhand, kop met de rechterhand naar beneden en achterover duwen). Op internet, o.a. Youtube, zijn ook andere methoden voor het doden te vinden.
2. Hak de kop eraf, laat uitbloeden.
3. Ophangen aan nek met touw, eerst vel wat terug stropen, dan goed vastbinden. Ophangen kan ook aan de poten. Het touw blijft dan beter vastzitten, maar het verwijderen van de organen is lastiger.
4. Je kunt nu kiezen om de kip te plukken, zodat het smakelijke vel wordt behouden (a), of het vel er af stropen (b).
   a. Het plukken is even werk, kan het best als de kip nog warm is en moet voorzichtig gebeuren, zodat het vel niet scheurt.
   b. Als je het vel er wel af stroopt: met scherp mes bij de hals lossnijden tot je met de hand het vel richting poten kunt verwijderen.
5. Bij de hals de krop (een soort zak waarin het voer dat een kip eet na het doorslikken in eerste instantie terechtkomt)

idee om bijen te houden. Behalve dat ze enorm nuttig zijn (voor de bevruchting van allerlei gewassen), leveren ze uiteraard je eigen smakelijke zoetstof in de vorm van honing. Als je zelf geen grote tuin hebt, kun je de bijenkasten op andere plekken zetten waar veel bloemen bloeien. Zelfs midden in de stad op daken worden er tegenwoordig bijen gehouden.

Ganzen, geiten, varkens, een enkele koe houden: ook dat past prima in het werken aan een kleinere voedselcirkel, al hebben deze dieren wel wat meer ruimte nodig. Daarvoor verwijs ik – net als voor bijen houden – naar andere deskundigen en literatuur.

voorzichtig van de hals losmaken. Misschien wordt die dan zo dadelijk met de ingewanden mee naar buiten getrokken. Maar meestal lukt dat niet en knapt de verbinding en moet je hem later vanuit de hals verwijderen.

6. Snijd het kontje er vanaf. Buikvel tussen de poten voorzichtig met scherp mes opensnijden en de ingewanden er uittrekken. Maag, lever, hart verwijderen en bewaren (want allemaal eetbaar), darmen weggooien. Begraaf die met de andere niet-eetbare resten, zoals de veren, in tuin of bos.

7. Zaadballetjes verwijderen, als het een haan is.

8. Maag schoonmaken; als je deze aan de minst vlezige kant opensnijdt, moet je het vel met alles wat er in zit gemakkelijk met de hand eruit kunnen trekken.

9. Bij de lever galblaas er uithalen, oppassen dat je deze niet kapottrekt want dan loopt het groene spul daarin eruit. Dat kan je vlees verpesten.

10. Goed kijken of de boel van binnen en buiten schoon is, te veel vet eventueel verwijderen, poten knakken, pezen doorsnijden en poten er afsnijden.

11. Flink wassen en op een koele plek bewaren tot gebruik of invriezen.

Hoofdstuk 3
Samen werken op de grond

O p een koude, natte winterdag stond ik met mijn schop een gat te graven aan de rand van Nederland. Regenjas en regenbroek aan, laarzen onder de modder, ergens voorbij Groesbeek aan de Duitse grens. Op een stuk toen nog kale grond dat mijn vrienden Wouter van Eck en Pieter Jansen hadden gekocht om er in 2010 Voedselbos Ketelbroek aan te leggen. 'Hier is een Siberische kweepeer, zet die maar in het gat', zei Wouter. Verder plantten we Iberische honingbessen, vezelbananen, fladderiepen, zwarte walnoten, elzen-, meidoorn- en sleedoornhagen. Wouter had precies in zijn hoofd wat waar moest komen, op een van die eerste werkdagen van Voedselbos Ketelbroek, zoals ze hun project hadden gedoopt. Her en der stonden in de blubber groepjes mensen te graven en te sjouwen. Toen het begon te schemeren, kropen we met zijn allen bij elkaar rondom een vuurkorf, aten van Wouters aardperensoep en hadden veel lol.

Een paar jaar later ken je de voormalige maïsakker van bijna tweeënhalve hectare niet meer terug, zeker niet in de zomer. De kaarsrechte sloot aan de rand is in samenwerking met het waterschap omgevormd tot een meanderende beek met geleidelijk in het land overgaande oeverhellingen. Daardoor dient het als opslag voor regenwater en is het een walhalla voor allerlei bijzondere wilde planten en beestjes geworden. Op het ooievaarsnest naast het beekje zijn al verschillende jonkies ter wereld gebracht. Er staan zo'n tweehonderd verschillende soorten bomen en struiken die eetbare producten gaan

↖ Werkdag in Voedselbos Ketelbroek

leveren: noten, bessen, bladeren, bloemen, scheuten, wortels. Elzenhagen zijn aan één rand aangeplant omdat ze stikstof van diepe bodemlagen omhoog halen, opslaan in hun bladeren en, als ze hun bladeren laten vallen, de daarin opgeslagen vruchtbaarheid afgeven aan de omringende gewassen. Sommige bomen en struiken groeien in lanen en rijen, andere in groepen en cirkels, allemaal volgens een ingenieus 'voedselbosplan'. Bijenkasten zorgen voor bestuiving en honing. Aan de rand van het stuk grond beheren basisschoolkinderen uit het naburige dorp De Horst een schooltuin met groenten en bloemen. Het voedselbos zorgt voor milieu- en natuurvriendelijk voedsel, een grote natuurlijke rijkdom en een leerzame ontmoetingsplek.

Principes van het voedselbos

Een voedselbos is een door mensen gecreëerde plantengemeenschap met een extreem hoog aantal eetbare soorten. Daarbij wordt slim gebruik gemaakt van ecologische principes, zoals die ook in een natuurlijk bos werkzaam zijn: al het leven hangt er met elkaar samen. Een volgroeid bos levert veel producten: hout, blad en een grote verscheidenheid aan voedsel, zoals vruchten, zaden, noten, bloemen en paddestoelen, zonder dat er (kunst) mest of bestrijdingsmiddelen nodig zijn. Door de principes van een natuurlijk bos te gebruiken in een aangelegd voedselbos, kan optimaal gebruik gemaakt worden van de efficiëntie van de natuur. In de natuur bestaat geen afval: alles wordt opnieuw gebruikt, zonder verspilling en alle organismen – planten, vogels, zoogdieren, insecten, wormen, bodemschimmels en bacteriën – zijn op elkaar ingespeeld. Door in een voedselbos óók al die onderdelen zo goed mogelijk op elkaar aan te sluiten, ontstaat een vruchtbaar samenspel. De principes van een voedselbos zijn nauw verwant aan die van de permacultuur: een methode, waarbij ecosystemen in de natuur als voorbeeld dienen.

Een voedselbos is opgebouwd uit zeven lagen die elk eigen
producten leveren:

1. De kruinlaag van de grote bomen (zoals tamme kastanje,
   walnoot, kers)
2. Kleinere bomen en grotere struiken die tot de onderkant
   van de hoogste kruinen reiken (zoals halfstam fruitbomen,
   hazelaar, gele kornoelje, pawpaw: oorspronkelijk Noord-
   Amerikaanse struik met vruchten die naar mango en banaan
   smaken)
3. Lagere struiken (zoals aalbes, kruisbes, buffelbes: oorspronkelijk Noord-Amerikaanse struik met kleine rode, ietwat bittere
   bessen)
4. De kruidlaag (zoals struisvaren, Turkse rabarber, udo: Japanse
   bergasperge die ook als asperge wordt gegeten)
5. Grondbedekkers (zoals aardbei, Siberische postelein, daslook)
6. Wortel en knollenlaag (zoals aardamandel, aardkastanje, oca:
   knolplant uit de Andes)
7. Klimplanten die zich door meerdere lagen slingeren (zoals
   kiwi, Chinese vijfsmakenbes, akebia: Japanse bloeiende klim-
   plant, waarvan bladeren en peulen kunnen worden gegeten)

Sinds de start in 2010 is er nog wat veranderd: het idee van Wouter en Pieter heeft een vlucht genomen. 'Het eerste voedselbos van Nederland', zo werd het project al snel genoemd in allerlei tijdschriften en kranten, van serieuze landbouwvakbladen tot gezellige eetglossy's. Inmiddels komen er hordes studenten en nieuwsgierigen naar de rand van Nederland, doet de Wageningen Universiteit onderzoek in Ketelbroek en adviseert Wouter samen met compagnon Xavier San Giorgi initiatiefnemers van andere voedselbossen in Nederland. Ze zijn betrokken bij de aanleg van voedselbossen in de Rotterdamse wijk Kralingen, in Wageningen, in Houten en in Beek-Ubbergen, waar het een 'voedselpark' genoemd wordt. Daar, in stedelijk gebied, zijn de voedselbossen kleiner en organisatorisch steken ze anders in elkaar dan in Ketelbroek. Ook in Vlaanderen, onder andere in de buurt van Waregem, ontstaan voedselbossen. Alle initiatieven hebben gemeen dat er samen gewerkt wordt aan een mooie, natuurvriendelijke vorm van voedsel produceren.

Wouter van Eck in Voedselbos Ketelbroek

Stadslandbouw

Alle stedelijke buurtmoestuinen en voedselparken waar in samenwerking voedsel wordt verbouwd, worden gevangen onder de naam 'stadslandbouw'. Een onvoorstelbare hoeveelheid stadsbewoners is in de weer met het verbouwen van groenten, fruit, kruiden en het houden van kippen en bijen. Over de hele wereld, van Washington tot Bangkok, van Havana tot Caïro en van New York tot Rotterdam en Antwerpen. Meer dan de helft van de wereldbevolking woont inmiddels in de stad. Al die miljarden mensen moeten dagelijks eten. Dat voedsel komt grotendeels van buiten de stad. Door in de stad zelf en aan de stadsranden voedsel te verbouwen, leveren stadsbewoners een bijdrage aan een kleine voedselcirkel. De voordelen daarvan (zie inleiding) gelden ook voor stadslandbouw. Er komt nog minstens één doelstelling bij: het is goed voor de 'sociale cohesie'. Door samen in een buurttuin, fruitstrook of op een eetbaar dak te werken, leren mensen elkaar kennen – vaak ook mensen met uiteenlopende culturele achtergronden. En als mensen elkaar kennen, houden ze meer rekening met elkaar. Samen iets concreets, tastbaars, zinnigs en moois doen geeft positieve energie en heeft een gunstig effect op de leefbaarheid in wijken en buurten.

De tijdsgeest is daarbij behulpzaam. De overheid heeft minder geld voor bijvoorbeeld onderhoud van allerlei groenstroken, parkjes en braakliggende stukken. Door burgers toe te staan op die stukjes wortels, prei en zwarte bessen te verbouwen, worden er vele vliegen in één klap geslagen. Maar dan moet die overheid wel bereid zijn om mee te werken, niet altijd per se met geld (al is dat soms wel behulpzaam), maar vooral met regelwerk. Daarbij helpt het dat steeds meer steden het belang van voedsel verbouwen rond de stad inzien. Naar Amerikaans en Canadees voorbeeld hebben Rotterdam en Amsterdam bijvoorbeeld een voedselvisie ontwikkeld en een 'voedselraad' die buurtinitiatieven helpt ondersteunen.

Maastricht

Een gezellige chaos was het in de tuinkamer, gevuld met vooral kinderen en een paar vaders en moeders. Het ging er steeds meer naar appelflappen, appelmoes met kaneel en appeltaart ruiken. Op de tafels stapels schillen en klokhuizen. Het moet eind september, begin oktober zijn geweest, tijdens de jaarlijkse 'appeldag' van Vernieuwend Wonen in de Maastrichtse nieuwbouwwijk Randwijck. Tien jaar heb ik daar met veel plezier gewoond met mijn gezin. Mijn oudste dochter was negen weken toen we er kwamen wonen, mijn andere dochter en mijn zoon zijn er geboren. Het complex ligt in een nieuwe wijk, pal naast moderne kantoren en een congreshal. In een hoefijzervorm staan er, volgens organische architectuur gebouwd, zeven eengezinswoningen en 73 appartementen, verdeeld over twaalf clusters, met drie gezamenlijke ruimtes, een buurt(eet)café, garages, ateliers, bedrijfjes en een eigen kantoor. Rondom een grote gemeenschappelijke paradijselijke binnentuin. Een wandelpad slingert er langs de achtertuintjes van de huizen en appartementenblokken tussen hagen, langs een heuvel, schommels, hutten, een zandbak én allerlei fruitbomen en -struiken door: appels, pruimen, kersen, bramen, rode bessen. Ik zie mezelf nog boven in de kersenboom op de heuvel zitten om daar van de smakelijke donkerrode spekkersen te snoepen en en passant door het groene lover over het terrein te turen.

Alle bewoners zijn lid van de coöperatie die eigenaar is van het complex, inclusief de binnentuin. Ze hebben zelf de tuin bij de start in 1989 ingericht én beheren die helemaal zelf. Er komt heel wat fruit van de bomen, vandaar ook die jaarlijkse appeldag. Al is het niet genoeg om iedereen het jaar rond van fruit te voorzien, het is wel een stukje zelfvoorziening, dat het wonen veraangenaamt en voor kinderen buitengewoon leerzaam is. Ik herinner me nog goed dat mijn oudste, een jaar of negen, met een vriendinnetje haar eigen 'breezers' had gemaakt, door zelf rode bessen uit te persen.

Culemborg

'Michiel, heb je wat pruimen- en vlierbessenrecepten voor me?', vroeg mijn vriend Maarten me. Hij woont met zijn gezin in een wijk die wel wat op mijn voormalige woonplek in Maastricht lijkt, maar die nog veel meer ingericht is op voedselvoorziening. Eva-Lanxmeer in Culemborg is zelfs helemaal ontworpen als eetbare wijk: zowel langs de randen van de privéstukjes als in de gezamenlijke parkachtige stukken groen staan fruitbomen en hagen. Het wemelt er van de pruimenbomen en vlierstruiken.

Pal naast de wijk ligt een hoogstamboomgaard van het waterleidingbedrijf, waar de bewoners jaarlijks hun fruit oogsten en er sap van laten persen. Aan de andere kant is de professioneel gerunde stadsboerderij Caetshage, inclusief boerderijwinkel. Daar worden de producten van de boerderij verkocht, aangevuld met groenten van boeren en tuinders uit de buurt. Daardoor heeft de wijk alle groenten en fruit in huis waaraan de bewoners behoefte hebben.

Detroit

Grote delen van de Amerikaanse voormalige auto-industriestad Detroit liggen er verloederd bij. Verlaten flats zonder ramen, half gesloopte bedrijventerreinen en supermarkten. Een flink deel van de stad stond bekend als *food desert*. In de wijde omgeving was geen fatsoenlijk en gezond voedsel te verkrijgen, uitsluitend fastfood en frisdranken. Daar heeft de Detroit Black Community Food Security Network verandering in gebracht, door het opzetten van stadsboerderijen, zoals D-town Farm. Na een paar jaar onderhandelingen met het stadsbestuur mocht het netwerk, tegen een jaarlijkse vergoeding van één dollar, grond van de voormalige boomkwekerij van de stad in gebruik nemen. Inmiddels is de vrijwillige tuinderij uitgegroeid tot een coöperatief bedrijf met groentebedden, broeikassen, bijenkasten en een paddestoelenkwekerij van bijna drie hectare met een bedrijfsleider, een compostmanager, een educatiemanager en diverse personeelsleden. De groenten worden verkocht op markten in de stad. Behalve voor gezonde betaalbare voeding zorgt de stadsboerderij voor werkgelegenheid, opleiding en plezier: het jaarlijkse oogstfeest is uitgegroeid tot een tweedaags festijn. Bovendien hebben D-town Farm en 'het ondersteunende netwerk' als een vliegwiel gewerkt: er zijn inmiddels in de stad 382 *community gardens*, die hun producten verkopen op 48 markten.

Rotterdam
Aan de Marconistraat, dichtbij de kantoorgebouwen van de Rotterdamse gemeentewerken, ligt op een oud rangeerterrein van twee hectare een van de grootste stadsboerderijen van Europa. Die levert behalve groenten ook eieren, kippen, paddestoelen, meervallen en tilapiavissen. Te koop in de winkel die hoort bij stadsboerderij 'Uit je eigen stad' of tot smakelijke gerechten verwerkt in het bijbehorende restaurant.

De Rotterdamse stadsboerderij 'Uit je eigen stad'

Een park is mooi, maar het is helemaal mooi als je er uit kunt eten, vond een groepje Rotterdammers. Samen met andere buurtbewoners is 800 vierkante meter van park De Nieuwe Plantage in de Rotterdamse wijk Kralingen ingericht als voedselbos. Onder begeleiding van Wouter van Eck hebben de bewoners in 2013 een ontwerp gemaakt met zo'n zestig verschillende eetbare plantensoorten. In 2014 zijn ze begonnen met de aanleg van het eerste stedelijke voedselbos in Nederland.

Hof van Twello bij Deventer

Zo'n twee kilometer ten westen van Deventer kun je bij de Hof van Twello een leuk 'blote voetenpad' lopen. Maar je kunt ook kaas, zuivel, groenten en plant- en zaadgoed kopen én een moestuin beginnen bij dit 'centrum voor lokale economie'. Deze worden door zo'n veertig moestuinders gepacht. Al is dat niet helemaal het goede woord. Want de moestuinders mogen de grond gratis gebruiken. Bovendien krijgen ze gratis mest en compost én krijgen ze korting op het zaaizaad en plantgoed in de Hofwinkel. In ruil voor gebruik van de grond, telen de moestuinders op de helft van de grond voor de winkel van de Hof van Twello en zorgen ze voor een deel van het terrein van de Hof. Van de opbrengst van hun producten in de winkel, krijgen de tuinders de helft. De Hof maakt een teeltplan voor de te verbouwen groenten en verwacht dat de tuinders dat zonder kunstmest en chemische bestrijdingsmiddelen doen. Beginnende tuinders krijgen begeleiding van de Hof. Zo worden vele verschillende vliegen in één klap geslagen: laagdrempelige moestuinen, die ook nog eens betaalbare biologische groenten opleveren voor andere consumenten.

Antwerpen

Op de linkeroever van de Schelde in Antwerpen is Biodroom een gemeenschapstuin vol kunst, cultuur en groenten. De groenten worden in grote zakken verbouwd omdat het een tijdelijke tuin is. Tuiniers die regelmatig komen werken kunnen sparen voor een eigen zak en plek in de tuin, voor een les ecologisch tuinieren of voor geoogste groenten. Er worden workshops composteren, bijen houden en biologisch koken georganiseerd. Daarnaast zijn er regelmatig muziek- en theatervoorstellingen.

Aan het werk op gemeenschappelijke grond

- Wil je zelf in buurt, stad of dorp met wat andere bewoners aan de slag met een voedselpark, buurtmoestuin, mobiele groentebakken of dorpsboomgaard? Dan zijn om te beginnen enthousiasme en draagvlak noodzakelijk. Oftewel, je moet het zien zitten én er moeten minstens een paar anderen zijn die het óók zien zitten. Vervolgens heb je meestal heel wat werk te verzetten en hobbels te nemen en dat lukt alleen als je er met een groepje voor gaat. Het helpt om jezelf en anderen voor te houden dat het om iets cruciaals gaat: je dagelijks eten. En dat zelf geteeld heel smakelijk kan zijn.
- Heb je een aantal enthousiastelingen bij elkaar, dan is de volgende grote vraag: op welke plek moet de buurtmoestuin komen? Heb je een stukje grond op het oog, dan zijn de eerste vragen: wie is de grondeigenaar, zit er bekabeling in de grond, is de grond schoon of vervuild, is het stukje toegankelijk, is er een waterleiding en kan er een hokje, schuurtje of afdakje komen voor gereedschap en om te schuilen, als het begint te stortregenen onder het schoffelen?
- Heb je een geschikte locatie, maak dan een plan, inclusief tekening van de buurtmoestuin. Veel van de uitgangspunten zijn daarbij hetzelfde als bij een privémoestuin (zie hoofdstuk 2). Wat heb je allemaal voor ideeën: groenten, fruitbomen, kippen, bijen, een vijver? Een schommel en

zandbak en een stukje gras of vooral veel bloemen? Een buitenkeuken of een barbecueplaats? Wie gaat het terrein inrichten en wie gaat dat betalen? Niet dat het veel geld hoeft te kosten, maar een beetje budget heb je bijna altijd nodig: voor bijvoorbeeld gereedschap, aanleg van een hek, plantmateriaal en koffie met koek voor de tuinvergaderingen.

- Steun van de gemeente is in veel gevallen handig en als het om gemeentegrond gaat zelfs onontbeerlijk. Vaak is er een buurtmanager of -regisseur die het eerste aanspreekpunt is van de gemeente voor buurtbewoners. Overleg met diegene over wat je graag zou willen en probeer af te tasten wat er mogelijk is. Misschien is er een (bescheiden) budget om het project te helpen starten. Als ambtenaren het niet zien zitten, kun je het hogerop proberen, bijvoorbeeld bij de wethouder. Als je die aan je kant hebt, kan dat veel helpen (zie pagina 77).
- Zijn er andere organisaties die betrokken kunnen worden? Buurtvereniging, vrouwenclub, kerkgenootschap, school? Ontdek welke mensen in je omgeving sociale verbinders en netwerkers zijn. Zulke mensen zijn vaak onontbeerlijk om anderen enthousiast te krijgen. Zoek naar een ervaren tuinder die een mentor wil zijn voor de buurttuin.
- Ziet het er naar uit dat je de steun van de gemeente of andere grondeigenaar hebt, dan is het goed om een informatieavond te organiseren voor de buurtbewoners, waar je mensen enthousiast probeert te maken voor je plan. Zorg voor een goede voorzitter. Vraag input van bewoners: wat zouden ze zelf willen? Vooral groenten? Vooral fruit? Bloemen? Wie wil meehelpen?
- Er zijn bij nieuwe plannen vaak enkele mensen die op de rem willen gaan staan, beren op de weg zien (die er niet altijd daadwerkelijk zijn), alles bij het oude willen laten: wees daarop voorbereid. Ga begripvol om met bezwaarmakers.

Probeer in te schatten of het vooral om koudwatervrees gaat of dat er serieuze bezwaren zijn. Het werkt vaak het beste om met bezwaarmakers individueel om de tafel te gaan zitten.

- Zijn er geen onoverkomelijke obstakels, dan kun je aan de slag. Maak een gedetailleerd plan, inclusief plattegrond, mede op basis van alle ingebrachte ideeën en wensen. Stem dat af op de locatie en ligging (zie hoofdstuk 2).
- Maak een stappenplan: wat moet er allemaal gebeuren? Wanneer? En wie gaat dat doen?
- Zorg ergens voor een officieel feestelijk startmoment, waarvoor je publiciteit zoekt in wijkkranten en lokale of regionale bladen. Dat kan bij het begin van de aanleg zijn, bij de ingebruikname of bij de eerste oogst.
- Maak afspraken die je op papier zet, zoals geen gebruik maken van chemische bestrijdingsmiddelen en kunstmest. Wie beheert het gereedschap? Wie coördineert de gemeenschappelijke klussen zoals onderhoud van hagen en hekken? Wie int de contributie, als die er is? Of verlenen mensen wederdiensten in ruil voor gebruik van een stukje grond?
- Zoek gedurende het hele proces steun en inspiratie bij (ervarings)deskundigen. Mensen die elders in de stad of het land aan soortgelijke projecten gewerkt hebben. Die kunnen je helpen met adviezen over zowel de praktische kant (aardappelen of liever aardperen) als de sociale kant (hoe krijg ik mensen betrokken). Zoek bijvoorbeeld contact met het Stedennetwerk Stadslandbouw of de Koninklijke Nederlandsche Heidemaatschappij (KNHM). Dat is de ideële tak van ingenieursbureau Arcadis. Deze ondersteunt kosteloos maar op professionele wijze bewoners bij allerlei (voedsel)initiatieven.

Overtuig je gemeente

Voor het verkrijgen van medewerking van de gemeente is het handig om in te spelen op haar belangen. Denk daarbij aan de volgende punten:

- Veel gemeenten blijven zitten met braakliggende grond, aangekocht in de tijd dat ze dachten dat de bomen nog tot in de hemel groeiden. Een nuttige maatschappelijke bestemming – in de vorm van stadslandbouw – kan de pijn verzachten.
- Gemeenten krijgen meer verantwoordelijkheden op het gebied van welzijn en zorg. De helende werking van planten telen en dieren verzorgen is inmiddels genoegzaam bekend. Er zijn niet voor niks wel duizend zorgboerderijen in Nederland. Stadslandbouw kan die zo wenselijke zorg en heilzame werking mede bieden. Voor mensen met 'een beperking', zoals dat heet. Maar preventief voor iedereen.
- Stadslandbouw biedt betrokkenheid, sociale samenhang, leefbaarheid oftewel prettige woonwijken: een groot belang voor gemeentebestuurders.
- Steden moeten bezuinigen, onder andere op groenbeheer. Bewoners die dat beheer overnemen, besparen gemeenten geld.
- Werken in stadslandbouw kan een zinvolle tijdsbesteding zijn voor werkzoekenden.

Vragen en problemen

Vieze stad

Zowel de grond als de lucht in de stad zijn niet altijd schoon: dat kan een probleem zijn. In de stad zitten bijvoorbeeld vaak zware metalen in de grond en in de lucht, die makkelijk worden opgenomen door bladgroenten zoals sla en spinazie. Berlijnse onderzoekers vonden een verhoogde hoeveelheid zware metalen in groenten die in moestuinen in een stedelijke omgeving waren geteeld, vooral in gebieden met veel verkeer. Denk daaraan bij de planning van je buurtmoestuin.

Inzicht in bodemvervuiling krijg je door te onderzoeken welke activiteiten er in het verleden op het stuk grond hebben plaatsgevonden: op te vragen bij gemeente of kadaster. Voor de zekerheid kun je de bodem laten testen op vervuiling: er zijn verschillende laboratoria die dat onderzoek doen.

Fröbelende stad

'Leuk die stadslandbouw, maar het is natuurlijk gefröbel in de marge', hoor je wel eens zeggen over de vele groene voedselinitiatieven in de stad. Hoeveel voedsel een stad zelf binnen zijn grenzen kan produceren, hangt van verschillende dingen af, waarbij de belangrijkste factor is: hoeveel ruimte heb je. En hoeveel ruimte wil je ervoor gebruiken? Parijs heeft enorme oppervlaktes aan parken. Omploegen die boel en je kunt de inwoners van de Franse hoofdstad van flink wat courgettes en knoflook voorzien. Maar ja, toch wel jammer van die eeuwenoude Tuilerieën bij het Louvre.

Onderzoeken laten zien dat steden met land- en tuinbouw binnen de stadsgrenzen in zo'n 10 procent van de groentebehoefte van de bewoners kunnen voorzien. Niet niks, en we moeten niet vergeten dat er tegelijkertijd een heleboel andere doelen worden gerealiseerd. Maar het levert niet genoeg te eten op voor iedereen. Daarvoor moeten we een stad breder gaan zien, in samenhang met het omringende land. Dan wordt het een ander verhaal. Zou je het productiegebied Amsterdam bijvoorbeeld uitbreiden naar Noord-Holland, dan blijkt die regio de Amsterdammers wel genoeg groenten, aardappelen en melk te kunnen leveren.

Overigens zijn Wouter en Pieter met hun voedselbos aan de natuurrijke rand van Nederland óók stedelingen: vanuit Nijmegen gaan ze op de fiets naar hun land van ecologische overvloed. De pompoenen die hun grond produceert, worden in een winkel in Nijmegen verkocht. En restaurants hebben al interesse getoond in de bijzondere vruchten en noten die het bos begint te leveren.

Wouter van Eck (tweede van rechts) met bezoekers in Voedselbos Ketelbroek

Hoofdstuk 4
Eten verzamelen in het wild

O p stille zondagochtenden in augustus liepen we te scharrelen tussen de eiken langs een zandpad, een bakje in de hand. Mijn vader, moeder, broertje en ik, ergens in de buurt van Winterswijk. Emmers vol bramen plukten we, die thuis werden verwerkt tot jam en sap. Op mistige doordeweekse ochtenden in oktober, als we mijn vader naar zijn werk hadden gebracht, plukten we knaloranje rozenbottels voor jam en saus. Op zonnige middagen in mei knipte mijn moeder de bloemetjes van de vlierschermen en deed die in een grote glazen pot. Suiker erbij, schijfjes citroen en kokend water: een paar dagen later dronken we geurige, verfrissende vlierbloesemlimonade.

Eten uit de natuur in de buurt is voor mij nooit iets geks geweest. Zoals het voor het gros van de mensheid in de geschiedenis niet gek was. Sterker nog: tijdens het grootste deel van zijn bestaan heeft de mens om aan eten te komen niks anders gedaan dan wilde planten, bessen, noten, bloemen en paddestoelen verzamelen en op beesten jagen. Het is pas een schamele acht- tot tienduizend jaar geleden dat mensen planten begonnen te zaaien en dieren te houden. Dat wordt tegenwoordig de neolithische evolutie genoemd. Vroeger werd revolutie gezegd, maar men kwam erachter dat evolutie een betere aanduiding is. Het wildplukken en jagen verdween namelijk niet: het bleef altijd naast landbouw en veeteelt bestaan. Zeker in het vroege voorjaar, als de wintervoorraden waren uitgeput en er nog geen nieuwe groenten groeiden. Tot zo'n beetje de Tweede Wereldoorlog; daarna ging het millennia oude 'plukken uit de buurt' teloor, in Nederland nog een graadje erger dan in veel buitenlanden, waar het nog redelijk 'normaal' bleef. Omdat het leuk, lekker, en leerzaam is. De Fransen hebben er zelfs een apart woord voor: *la ceuillette,* dat net als *la chasse* (jacht) en *la pêche* (visvangst) hoort bij de door burgers op de adel en grootgrondbezitters veroverde rechten tijdens de Franse Revolutie.

In Nederland werd je tot voor kort als een soort heks gezien als je je inliet met paardebloembladsalade, brandnetelpastasaus en meidoornbessnoepjes. In 2006 verscheen de eerste druk van mijn boek *Lekker Landschap. Smullen van bos & veld,* dat helemaal over het eten van wilde planten, bloemen, bessen, noten en paddestoelen gaat. Toen begon het net een beetje in de mode te raken. De mode is aangezwollen tot een heuse trend: er is geen eetglossy of buitenblad meer dat geen wildplukreportage heeft gehad. Er verschenen een heleboel andere wildplukboeken en de forse tweede druk van mijn eigen *Lekker Landschap* raakte uitverkocht, zodat ik een compleet herziene en aangepaste versie heb gemaakt, want vraag naar het boek is er nog steeds. Inmiddels ben ik met honderden mensen op stap geweest tijdens wildplukexcursies en workshops. Heel leuk en mooi om te merken dat de wilde eetbare plantenwereld weer leeft.

Waar en wanneer?

Voor wie goed kijkt, is heel Nederland eigenlijk één groot plukparadijs. In bermen, parkjes, gemeenteplantsoenen, aan waterranden, in bossen, boomgaarden, tuinen, weiden, hagen, slikken, op dijken, tussen stoeptegels, in en op dode en levende bomen: bijna overal valt wel wat eetbaars te vinden. Alleen is het niet verstandig overal te plukken. Denk bijvoorbeeld aan mogelijke vervuiling. Vanwege uitlaatgassen is het beter om niet langs drukke wegen te plukken. Akkerranden waar nog niet zo lang geleden met bestrijdingsmiddelen is gespoten, moet je ook vermijden. En verder is het niet zo smakelijk om te plukken langs paden waar honden worden uitgelaten. Maar dan blijven er nog zat plukgebieden over. Op veel plekken hebben weinig mensen er problemen mee dat je wat paardebloembladeren of bramen plukt. Maar officieel geldt: de grondeigenaar moet toestemming geven. In principe is het verzamelen in gebieden van natuurbeherende organisaties als Staatsbosbeheer, Natuurmonumenten en de provinciale landschappen niet toegestaan. In de praktijk doen die organisaties niet moeilijk als je een portie bramen, een mandje veldzuring of een paar inktzwammetjes voor eigen gebruik meeneemt. Maar planten en paddestoelen die op de Rode Lijst van bedreigde soorten staan, mogen niet worden geplukt. De onder topkoks heel populaire morielje is bijvoorbeeld beschermd: als die paddestoelen op het menu staan, komen ze meestal uit het buitenland. Overigens is het plukken van paddestoelen niet schadelijk voor de natuur: het eigenlijke organisme van paddestoelen – de zwamvlok of mycelium – zit onder de grond. Wel is het goed om de paddestoelen in een mandje te doen, zodat de sporen zich kunnen verspreiden door de kieren heen.

Daslook is een ander voorbeeld van een beschermde plant: een fantastisch lekkere voorjaarsgroeier, op de lijst van beschermde soorten. In een Zuid-Limburgs bos waar een enorm golvend tapijt van naar knoflook geurende daslook groeide, heb ik toch maar eens wat geplukt: respect, liefde en gezond verstand zijn nóg belangrijker raadgevers dan de wet. Inmiddels heb ik trouwens daslook in mijn eigen tuin.

In principe kun je in Nederland het hele jaar door uit de natuur eten, maar in de winter is het vrij moeilijk om in het wild iets eetbaars te vinden. Dan moet je het hebben van af en toe eens een paddestoel en wortels van planten onder de grond. Die laatste zijn, zonder herkenbare bovengrondse stengels of bladeren, niet eenvoudig te vinden. De winter is daarom meer iets voor de ervaren wildplukker. Voor beginners zijn de maanden april tot en met half oktober het meest geschikt. Het rijkste is vaak september: behalve de vele bladplanten die ook al in lente en zomer groeien, kun je ook nog eens genieten van bessen, de eerste noten en – als het weer meezit – van paddestoelen.

Herkennen en hoeveelheden

Hoe herken je eetbare planten?
Kijken, voelen, ruiken, proeven, lezen, vergelijken. Dat zijn de wegen die je bewandelt om te beoordelen of een plant, bloem, bes, noot of paddestoel eetbaar is. Ik gok erop dat het gros van de lezers van dit boek wel het verschil weet tussen een brandnetel en een paardebloem. Dat zie je én dat voel je. Daarmee weet je al voldoende om een eerste maaltijd uit bos en veld te bereiden. Want daarmee heb je twee heel smakelijke, voedzame, zeer veel voorkomende planten gevonden. En wie de smaak eenmaal te pakken heeft, ontdekt vanzelf steeds meer, gaat steeds meer de verschillen tussen plantjes zien en raakt steeds meer verwonderd.

Van links naar rechts: eekhoorntjesbrood en kastanjes, groene walnoten voor de notenwijn...

De vlierbloesem, je neus wordt door die heerlijke frisromige geur naar haar schermen getrokken. Je kijkt naar de bloem en je ziet: aan het eind van elke bloemsteel zitten vijf zijsteeltjes, met daaraan weer vijf substeeltjes met daarin de bloemschermpjes, bestaande uit minuscule sterretjes van telkens vijf bloemblaadjes en vijf meeldraden. Wat heeft de vlier met vijf? En dan die metamorfose van het maagdelijke voorjaarsbloesemwit naar het duivelse, donkere bessenpaars vanaf september. Zo krachtig van kleur dat je de sapvlekken maar moeilijk uit je witte bloesje krijgt gewassen. De braamstruik dan, die biedt zelf een medicijn voor tijdens het bramen plukken opgelopen schrammen, want het blad werkt bloedstelpend. Of de reuzenbovist: een grote witte bol die na regenbuien plotsklaps verschijnt in weilanden en parken. Het vruchtbaarste organisme op aarde, want als de reuzenbovist helemaal bruin is geworden, scheurt het ding open, waarna de wind vele miljarden sporen verspreidt. Fascinerend. Die reuzenbovist is voor beginnende paddestoeleneters heel geschikt. Het kan gewoon niet missen, er is geen paddestoel die erop lijkt en hij is heel lekker. Gewoon in plakken snijden en in boter bakken, bijvoorbeeld.

... vlierbloesem voor siroop en lindebloesem voor de thee

Verschillende kennisbronnen zijn nuttig om je kennis van eetbare natuur te vergroten.

- Er is een grote verzameling geïllustreerde boeken op de markt, met daarin foto's of tekeningen van planten, bloemen, bessen, noten en paddestoelen. Inclusief achtergrondinformatie over de vindplaatsen.
- Het meeste steek je op door mee op pad te gaan met anderen die wat van wilde planten weten. Familieleden, vrienden, kennissen of deskundigen, al dan niet professioneel.
- Internet en allerlei apps zijn tegenwoordig enorm nuttige bronnen van informatie over wilde planten en paddestoelen. Zeker ook vanwege de vele heldere foto's die daar te vinden zijn. Door de planten die je tegenkomt of hebt geplukt te vergelijken met de afbeeldingen op internet of app (al dan niet in combinatie met die in de boeken), kom je erachter of je inderdaad van doen hebt met de planten die je wilt gaan eten.

De belangrijkste en eerste stelregel is: bij twijfel niet doen. Want giftige planten en zwammen bestaan wel degelijk. De een wat heftiger dan de ander. Van het gros van de giftige planten word je vooral ziek, van een enkele kun je echt doodgaan. Een portie groene knolamanieten – om de giftigste der paddestoelen te noemen – en je hebt je laatste avondmaal genoten.

Hoeveel plukken?

Pluk met respect voor de natuur. Dus nooit zomaar alles weghalen. Altijd wat bloemen, planten of paddestoelen achterlaten:

- zodat planten voldoende gelegenheid krijgen zich te vermeerderen.
- zodat je zelf volgend jaar weer opnieuw kunt plukken.
- zodat er wat overblijft voor insecten en andere dieren.
- zodat er wat overblijft voor andere bezoekers – die bijvoorbeeld genieten van het kijken naar mooie paddestoelen.

Hoeveel eten je wild kunt verzamelen, hangt van veel zaken

af. Hoe rijk is de omgeving? Hoeveel tijd heb je om op pad te gaan? Welke jaargetijde is het? Het is helemaal niet moeilijk om een flink deel van het jaar sla uit het wild te eten: paardebloembladeren zijn er bijna overal. En pastasaus van brandnetels is ook behoorlijk probleemloos te maken. Maar voldoende energierijk voedsel uit het wild halen is in Nederland een stuk lastiger. Hazelnoten, walnoten en kastanjes zijn smakelijke eiwitverschaffers uit het wild, maar je komt het jaar er niet mee door. Voor extra eiwitten kun je naar het water, of je jachtbrevet halen.

Dieren in het wild

De jacht

De haas leek uit het niets te komen. Ineens sprintte hij met een enorme noodgang in doodsnood door het weiland. Pang, pang en nog eens pang. De jachthond werd eropuit gestuurd en kwam terug met de dode haas in zijn bek. Goed zo hond. Een van de mannen in het groen wreef stevig met de knokkels van zijn vuist over het blanke onderlijf van de dode haas. Op die manier werd de hazenblaas geleegd: de hazenpies zou het vlees kunnen bederven. De dood van deze haas was mede mijn schuld. Ik was met jagers uit het dorp meegegaan als drijver op hazenjacht, uit nieuwsgierigheid. Een wereld apart. Mannen onder elkaar. Bij wijze van middagpauze rond het open vuur, gezeten op houtstammetjes, droge worsten eten met Jägermeister erbij en de nodige sterke verhalen.

Behoorlijk confronterend vond ik het moment waarop zo'n angstige haas er in grote haast vandoor gaat. Het basale instinct van een mooi beest tegenover de loop van het geweer. Soms lukt het een haas om te ontsnappen. Soms niet: de kogels zijn z'n dood. Heftig. Maar ook eerlijk. Vlees van de jacht is het meest eerlijke en duurzame vlees dat je kunt eten, ook nog eens uit de buurt. Toch is de jacht niet populair. 'Schande, die smeerlappen van jagende dierenkwellers.' Dat is zo'n beetje de stemming, zeker bij aanhangers van de Partij voor de Dieren. Van de strikte vegetariërs valt dat nog wel te snappen. Maar van de eters van verantwoord vlees stukken minder. Als je geniet van af en toe eens een boutje, gehaktbal of worst, mits van diervriendelijke en biologische oorsprong, wat is er dan beter dan wild? Een varken uit de biologische veehouderij heeft al een veel beter leven gehad dan eentje uit de bio-industrie. Maar een wild zwijn heeft het nog véél mooier voor elkaar dan een varken met biologisch keurmerk. Scharrelen, wroeten en rondrennen in uitgestrekte bossen en velden, paren op het moment dat hij daar zin in heeft, kom daar maar eens om in de (biologische) veeteelt. Toch mooi, als je vindt dat beesten een zo 'natuurlijk' mogelijk leventje moeten kunnen hebben? En ook nog eens veel lokaler dan zelfs die biologische beesten: die hebben vaak een deel veevoer van ver weg gevreten.

Wel moet het doden vakkundig gebeuren en er moeten uiteraard nog genoeg levende exemplaren blijven rondhuppelen: zaken die je allemaal leert door een jachtakte te halen. Jagen zonder akte is verboden en valt onder 'stropen'. En ook voor jagers mét akte gelden er strenge regels voor wanneer er precies hoeveel en hoe op welke beesten (hazen, konijnen, fazanten, duiven, eenden, reeën, wilde zwijnen) gejaagd mag worden.

Anders dan bij al het voorverpakte vlees in de schappen, weet je wat er aan de maaltijd voorafging, dus je gaat er bewuster mee om, is mijn hypothese: als iedere vleeseter in Nederland, als onderdeel van het vleeseetexamen, zijn te verorberen kip, koe of varken moest afmaken, zou de vaderlandse veestapel drastisch kunnen slinken. En zou en passant een groot aantal misstanden worden opgelost. Zie ook 'Het slachten van je kip' in hoofdstuk 2.

Wie zijn vleeseetexamen heeft gehaald, mag best weleens naar de slager of poelier voor een hazenbout. Maar bedenk bij wild wel: het is tegenwoordig vaak nepwild. Konijnen, eenden, patrijzen en zelfs herten: ze worden gefokt en smaken niet meer naar wild. Hazen en reeën zijn zo aan hun vrijheid gehecht dat ze in gevangenschap doodgaan en zijn dus wél altijd wild. Al zijn wilde hazen in de winkel vaak afkomstig van de Argentijnse pampa's. Wil je dus echt lokaal wild, dan moet je ernaar vragen bij de poelier of een bevriende jager. Zoek op internet welke 'wildbeheereenheid' er bij jou in de buurt zit: Nederland is verdeeld in ruim driehonderd van die eenheden: samenwerkingsverbanden van jagers en jachtopzieners, met elk een eigen werkgebied.

Duur hoeft wild niet per se te zijn. Sterker nog, ik at met kerst eens gratis hazensoep. Wat doet de poelier eigenlijk met al die wildbotten die hij vlak voor Kerst overhoudt? 'Weggooien', zei de poelier. 'Zonde', zei ik: 'Mag ik er niet wat van hebben om wildbouillon van de trekken?' Dat mocht. Op een dag stond een flinke doos klaar in de koelcel op het erf van de slager-poelier. Is dit wel afval, vroeg ik me af, na een blik

in de doos met bloederige botten: er zat nog zoveel vlees aan! Levertjes en niertjes zaten er ook nog bij. Voor niks. Ik spoelde de resten flink af en zette ze in de grootste pan van het huis op met veel water (de botten stonden net helemaal onder). Vier uur lang liet ik de boel zachtjes trekken. Wel in de bijkeuken, want de geur die de hazenbouillon in wording verspreidde, was nogal 'karakteristiek': de kinderen liepen er gillend bij weg. Na die paar uur heb ik het geheel gezeefd en vervolgens de bouillon met de helft ingekookt om hem meer op smaak te brengen. Van een deel van de botten schraapte ik het vlees. En zo had ik een basis voor de kerstsoep. Samen met het (gedroogde) eekhoorntjesbrood, dat ik eerder in het seizoen al in het bos had gevonden, maakte ik een luxe, verrukkelijke, volledig gratis kerstsoep uit de buurt.

Ongewenste dieren
De Amsterdamse stadsduif, de (Schiphol)gans en de muskusrat, ook dat zijn vormen van wild. De drie hebben gemeen dat ze als plaag en ongewenst worden gezien. De stadsduiven poepen balkons en historische gebouwen onder. De ganzen zijn gevaarlijk voor het vliegverkeer bij de luchthaven en in de rest van het land vreten ze soms massaal weidegronden kapot. Muskusratten ondergraven dijken. Vandaar dat al die beesten worden geschoten of gevangen. Om daarna in de destructor te eindigen.

Doodzonde, want het gaat hier om eetbaar vlees, vonden kunstenaars Rob Hagenouw en Nicolle Schatborn, die in Amsterdam ook een beetje aan catering deden. Ze begonnen de Keuken van het Ongewenste Dier. In eerste instantie gingen ze naar de jager van Schiphol, die hen ganzen meegaf. Ze experimenteerden wat en kwamen zo met de kroket van Schipholgans, te koop in de Amsterdamse supermarkt Marqt en sommige snackbars en eetcafés. De muskusrat, een vergelijkbaar verhaal. Klinkt in eerste instantie misschien onsmakelijk, maar de Belgen zetten het als waterkonijn op de kaart, en dan klinkt het al een stuk lekkerder. Rob en Nicolle maken er nu ragout van, die een beetje als haas smaakt. Paarden zijn niet wild. Maar wel zonde dat als paardenmeisjes hun levende hobby zat zijn en van de hand doen, de beesten in Polen of Spanje tot worst worden gedraaid. Rob en Nicolle maken er nu My Little Pony Burgers van. Zelf in de weer gaan met de overdosis ganzen en muskusratten mag eigenlijk niet, al zal niet snel iemand boos worden als je je zelf gevangen waterkonijn op de barbecue legt.

Waterdieren en wieren

Vissen en kreeften

Onze wateren zitten vol met vis (wel minder vol dan vroeger), maar daarvoor geldt dat je ze alleen mag vangen met een vispas. Er staat precies voorgeschreven waar je wanneer mag vissen op welke soorten. Maar je hoeft geen examens af te leggen, zoals bij een jachtakte: een vispas kun je gewoon kopen. Veel sportvissers met pas (een miljoen), gooien de vis trouwens weer terug. Onbegrijpelijk voor veel buitenlanders uit met name ontwikkelingslanden. Er zwemmen verschillende eetbare vissen in onze binnenwateren: baars, brasem, karper, snoek, rietvoorn, snoekbaars en spiering. In principe zijn alle zoetwatervissen in Nederland eetbaar, alleen zijn ze niet allemaal even lekker en makkelijk te bereiden.

In de Amsterdamse grachten wemelt het tegenwoordig van de Amerikaanse rivierkreeften: waarschijnlijk zijn ze ingevoerd en toen uitgezet of ontsnapt. In ieder geval voelen ze zich goed thuis in de Nederlandse wateren en heeft de inheemse Europese rivierkreeft eronder te lijden. Er zijn hoofdstedelingen die regelmatig een maaltje uit de gracht halen. Ik heb daar geen ervaring mee, en verwijs daarvoor door naar andere boeken, bijvoorbeeld *Eetbare natuur* van Hanneke Videler. Datzelfde geldt voor de zoutwatervissen die vanaf de kust of op een bootje – een vergunning is niet nodig – kunnen worden gevangen: bot, geep, harder, haring, makreel, schar, schol en tong.

Zeevruchten en -wieren

Zeebeesten die ik wel zelf vang zijn oesters en mosselen. Ik vind ze langs de Waddenkust en de Oosterschelde. Je kunt er rauw van smullen, bij eb al sjokkend door de blubber. Per persoon mag je per dag tien kilo zeevruchten meenemen. Oestermes mee, op de sluitspier van zo'n pokdalige oester zetten, wrikken, wrikken, bovenlangs de sluitspier snijden, de schelp openklappen, onderlangs lossnijden. Aan de mond zetten, slurpen, kauwen, proeven: wat een waanzinnig krachtige, zilte, weldadige, oerige zeesmaak. Zo kun je in korte tijd

een flinke hoeveelheid oesters naar binnen werken. Voor niks, terwijl je er in winkel of restaurant een kapitaal voor moet neerleggen. Ook kokkels, scheermessen en alikruiken mogen worden geraapt, van elk tien kilo. Die moet je, anders dan oester en mossel, thuis wel grondig wassen omdat je anders veel zand binnen krijgt.

Voor vegetariërs hebben zee en kust ook iets in de aanbieding: zeewier. Prima te eten. Japanners eten zeewier al lang, wij moeten nog even aan het idee wennen. Al zit het ongemerkt verwerkt in doodnormale dingen als tandpasta en chocolademelk. Bij sushi's is het wier – als verpakking van rijst en vis – al duidelijker te herkennen.

Alle langs de Nederlandse kust voorkomende wieren zijn te eten. Probeer een redelijk schone verzamellocatie te vinden. Mocht je twijfelen, dan kun je de kwaliteit van het water checken die op veel plaatsen langs de kust wordt gecontroleerd. Wieren zitten vol met mineralen, sporenelementen en vitaminen, waaronder B12, waardoor ze ook heel geschikt zijn voor vegetariërs en veganisten. Wieren kennen net als planten seizoenen; per wierensoort verschillen die nogal. Wakame, een bruinwier die ook 'kelp' wordt genoemd, is bijvoorbeeld een koudwaterplant. Bij een watertemperatuur van 18, 19 graden verdwijnt de wakame, om in oktober weer terug te komen. Zeesla kun je in principe rauw eten, maar geeft geen prettig mondgevoel. De sla blijft in je mond plakken, vandaar dat je deze eerst even moet blancheren.

Blaaswier, ook wel knotswier, vaak gebruikt als versiering in viskramen, is te taai om rauw te eten: deze moet eerst worden gedroogd en geroosterd en dan vermalen om als smaakmaker te dienen. Er zijn koks die er bijvoorbeeld tapenade van maken. Knotswier kan wel 12 graden vorst hebben en is dus bijna altijd te oogsten. Darmwier, lange dunne, kronkelige groene slierten, is wel zo te eten, in de loop van het voorjaar tot in de herfst. Een knabbeltje met lichte zeesmaak.

Hoofdstuk 5
Boeren in de buurt

Vier flinke pubervarkens en een volwassen zeug lopen nieuwsgierig te snuffelen in de modder van boerderij de Heihoeve, tien minuten fietsen van mijn huis. Toen het woord nog lang niet was uitgevonden, werd hier in 1908 al een 'zorgboerderij' gesticht: een Deventer arts had bedacht dat het voor zijn psychiatrische patiënten goed was om op het land en op de hei te werken en nam het initiatief voor de Heihoeve, een eindje buiten de binnenstad van Deventer. Inmiddels is het aantal Nederlandse zorgboerderijen de duizend gepasseerd. Behalve voor psychiatrisch patiënten ook voor mensen 'met een afstand tot de arbeidsmarkt', (bijna) overspannen managers, exdelinquenten en peuters en schoolkinderen. Alleen het inzicht dat het voor íedereen gezond is geregeld op het land te werken is nog niet echt doorgebroken.

Hier op de Heihoeve telen mensen met psychische problemen groenten en fruit, werken in het aanpalende bos en houden kippen en varkens. De biologische groenten en fruit worden via abonnementen aan Deventenaren en plattelanders verkocht of in het winkeltje. Het duurt meestal even voordat er iemand reageert op de winkelbel. Maar dan krijg je waar voor je geld: de lekkerste spekjes van Nederland. Dat komt omdat de varkens een stuk ouder mogen worden dan de varkens uit de intensieve veehouderij en ook nog eens buiten rennen: extra vet en dat geeft nu juist smaak aan vlees. Ongezond? Niks hoor, als je er maar niet te veel van eet.

Als er weer eens een varken wordt geslacht bij de Heihoeve, krijgen de vaste klanten een mailtje. Ze kunnen dan aangeven

↖ Berrie Klein Swormink bij een van zijn brandrode koeien

welke delen van het varken ze willen kopen. Na een aantal weken kunnen de vleespakketten opgehaald worden op de boerderij. Of ze worden meegeleverd met de groente- en fruitpakketten. Een tijdje had ik met mijn gezin een abonnement op zo'n groentepakket, om de oogst uit de tuin aan te vullen. Maar al snel bleken er in het pakket net die groenten te zitten die ik ook in mijn tuin had. Het fruitpakket is wel gebleven.

Voor groenten ga ik nu naar Jopie en Heleen, die ook het graan verbouwen voor het brood van bakker Ton IJsseldijk. Hun boerderij ligt dicht tegen de zuidoosthoek van Deventer aan en wordt op zaterdagen vooral door stedelingen bezocht. Ik koop daar groenten en fruit die ik niet zelf in mijn tuin heb, maar waar ik wel zin in heb. In de zomer – als mijn eigen tuin massa's groenten geeft – ben ik er niet zo vaak. Na de herfst klop ik langzamerhand weer vaker aan, want zij telen uitgebreider dan ik en hebben meer bewaarbare wintergroenten. De groenten in de kisten in de schuur van Jopie en Heleen komen van eigen land, aangevuld met groente en fruit van andere biologische boeren die aangesloten zijn bij de Biologische Producentenvereniging Achterhoek (ook al is het hier strikt genomen net geen Achterhoek meer, maar Salland). Plus kaas, vlees en eieren.

Molenaar Tonny maalt meel van het graan van Heleen en Jopie...

Voor rundvlees ga ik naar een andere boer, ook op fietsafstand. Dat is de man bij wie ik ook jaarlijks mijn karretje koeienmest haal. Boer Berrie houdt prachtige brandrode runderen. Het diepe donkerrood van zijn beesten steekt mooi af tegen het groen van de weilanden en natuurgebieden rond zijn boerderij. Het ras, bekend van de middeleeuwse landschapsschilder Paulus Potter, was bijna uitgestorven. Dankzij boeren als Berrie is het weer *alive and kicking*. Ook Berrie stuurt af een toe een mailtje rond: het is weer tijd om een rund te slachten. Je kunt je bestelling plaatsen en na een paar weken ophalen. Maar je kunt er ook voor kiezen elke vrijdagmiddag en zaterdag bij zijn boerderijwinkeltje aan te kloppen.

Wat onze melk-, karnemelk- en yoghurtvoorziening betreft, sta ik voor een dilemma: ga ik het halen bij weer een andere boer met een landwinkel, een eindje buiten het dorp? Of koop ik de biologische zuivel in ons dorpssupertje op anderhalve minuut loopafstand? Die biozuivel komt van boeren die ik niet ken, van verder weg, en heeft eerst een omweg gemaakt naar de zuivelfabriek. Maar ja, de dorpssuper heeft een heel belangrijke functie in het dorp, is in zekere zin ook een vorm van lokale economie, als je het afzet tegen de veel grotere supermarkten in de stad. Meestal ga ik voor de dorpssuper.

waarvan bakker Ton brood bakt dat Heleen en Jopie verkopen.

Voor asperges ga ik in het voorjaar speciaal naar het land van Jan en Marietje Olden, weer een andere kant op. Al met al komt een behoorlijk deel van ons voedselpakket uit een straal van 6 tot 12 kilometer. Waarom is het ook alweer zo belangrijk om direct bij de boer te kopen, in plaats van bij een van de supermarkten in de stad? We kijken nog even naar een paar punten uit het lijstje 'voordelen van een kleine voedselcirkel' uit de inleiding:

Eerlijker en voordeliger
Doordat er veel minder tussenhandel, verwerkende industrie en supermarktketens in de kleine voedselcirkel actief zijn, kunnen boeren een betere prijs krijgen voor hun producten, zonder dat consumenten meer geld kwijt zijn. De verhoudingen tussen producenten en consumenten zijn simpeler, transparanter en daarom eerlijker: het is duidelijker wie in de (korte) keten wat verdient en waaraan. Boeren worden niet langer gedwongen om zoveel mogelijk te produceren tegen zo laag mogelijke kosten. Daarom wordt het makkelijker om rekening te houden met dierenwelzijn, milieu, natuur en individuele consumenten.

Duidelijker en democratischer
Een kleine voedselcirkel heeft minder schakels en is daardoor overzichtelijker en minder anoniem. Duidelijk is wie waarvoor verantwoordelijk is. De betrokkenen zijn daarom beter aanspreekbaar op wat ze produceren én kopen.

Wat dat eerlijker en voordeliger betreft, kijken we naar het staatje op de pagina hiernaast. Het diagram laat duidelijk zien dat van de euro's die consumenten betalen voor hun eten, het grootste deel níet bij de boer (producent) terechtkomt. Een flink deel van de boeren staat onder druk om voortdurend meer te produceren tegen een zo laag mogelijke prijs. Om toch een fatsoenlijk inkomen te verdienen, moeten ze steeds

VERDELING VAN DE CONSUMENTENEURO OVER KETENSCHAKELS PER PRODUCT

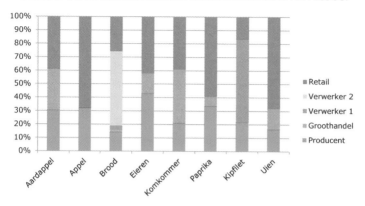

Brutomarges per product per ketenschakel in de periode 2011-2013 (verwerker 1 bij brood is de maalderij en verwerker 2 is de bakker; bij kipfilet is verwerker 1 de slachterij)

méér produceren: er is een voortdurende druk naar verdere schaalvergroting. Een belangrijke oorzaak voor de dier-, natuur- en milieuonvriendelijkheid van de huidige landbouw. Als we meer rechtstreeks bij de boer gaan kopen, zodat een groter deel van de opbrengst bij hem terechtkomt, hoeft hij minder te produceren, zonder dat dat ten koste gaat van zijn inkomen. Minder produceren betekent minder overbemesting en overbelasting van land, landschap, natuur en dieren.

En niet te vergeten, producten van de boer zijn vaak lekkerder en gezonder omdat ze verser zijn en minder uniform gemaakt. Een fabriekskaas smaakt in heel Nederland hetzelfde; boerenkaas overal anders.

En dan nog even over dat 'Duidelijker en democratischer'. In het voorjaar van 2014 mocht ik een dag op stap met de Amerikaanse boer Joel Salatin. Tijdens zijn tournee door Nederland sprak hij met tal van burgers, bestuurders en boeren, waaronder met 'mijn' boer Berrie op diens erf, tussen de koeien. Behalve agrariër op zijn Polyface Farm in Virginia is Salatin tegenwoordig zo'n honderd dagen per jaar 'missionaris'.

Zijn missie, al rondreizend over de wereld, is: 'Ik wil helen – de aarde, mensen, gemeenschappen – in plaats van schaden.' En schadelijk is de huidige gangbare industriële landbouw, volgens hem. Moeiteloos schudde hij tien minpunten uit zijn mouw: 'Die vernietigt de bodem, vervuilt het water, mishandelt dieren, vermindert de voedingswaarde van ons eten, onttrekt eindige voorraden olie aan de aarde, creëert onwetende burgers, zorgt voor massale aanwezigheid van ziekteverwekkers in ons eten, vermindert het aantal boeren, onttrekt welvaart aan het platteland ten gunste van de stad en bevoordeelt de rijken.'

Salatins boerderij is daarentegen 'zongedreven, organisch, voorbij biologisch'. Zijn negenhonderd koeien krijgen alleen gras en kruiden te vreten, worden elke dag verplaatst, waarna kippen de plek van de koeien innemen, zich te goed doen aan de wormen en larven in de koeienmest, die ze en passant mooi over het land verspreiden. Na de legkippen komen op hetzelfde stuk land de vleeskippen, vervolgens de kalkoenen. Varkens, een groentekwekerij, wat graanverbouw voor de kippen en varkens en bosbouw voor gebouwen en houtsnippers maken het bedrijf compleet. Sinds de start in 1961 is er nooit een zak kunstmest of fles chemisch bestrijdingsmiddel gebruikt. Toch levert het land een flinke opbrengst. Sterker nog, Polyface Farm levert veel meer op per hectare dan een gemiddelde boer én biedt werk aan 25 mensen. Behalve in het ingenieuze begrazingssysteem en de geringe bedrijfskosten zit hem dat ook in de directe verkoop aan consumenten en restaurants: 'Het geld komt direct in de zak van de boer.' Bovendien zorgt kleinschaligheid voor iets waar het in het huidige industriële voedselsysteem aan ontbreekt: vertrouwen. 'Het is heel moeilijk om vertrouwen op een grote schaal te organiseren. Lokale systemen zorgen daarentegen voor hun eigen transparantie en daarmee vertrouwen', vindt Salatin. Vertrouwen in de boer en zijn producten. En hij voegde er aan toe: 'Hier in Nederland is dat nog veel makkelijker te regelen, want de afstanden zijn hier veel kleiner.'

Het nieuwe boodschappen doen

Aan de slag dus. Hoe? Het kopen bij de boer heeft inmiddels buiten én binnen Nederland vele vormen aangenomen: boerderijwinkels, eier- en melkautomaten aan de weg, boerenmarkten, groente-, vlees-, fruit- en zuivelabonnementen, inkoopcoöperaties, coöperatieve boerderijen, bezorgdiensten, internetmarktplaatsen en ga zo maar door. Allemaal manieren om regionaal in te slaan.

Boerderijwinkels
Een kwart van de biologische boeren doet aan directe verkoop, tegen 8 procent van de gangbare boeren. Boeren met een eigen winkeltje zijn er in allerlei soorten en maten. Klein en groot, biologisch en gangbaar, met alleen wat fruit of met een compleet assortiment, bijna elke dag geopend of alleen op zaterdagochtend. Zo'n honderd boerderijwinkels hebben zich aangesloten bij Landwinkel: een coöperatie van samenwerkende boeren, die behalve hun eigen streekproducten ook spullen van collega's van elders verkopen.

Een andere groep van zo'n honderd biologische boeren is aangesloten bij Van Eigen Erf. Een deel van deze boeren organiseert ook activiteiten zoals 'Boergondische maaltijden': maaltijden op het erf van de boeren, uiteraard met producten van de boer. Deze boeren zijn op internet te vinden.

Boerenmarkten
Tien jaar lang liep of fietste ik elke donderdagmiddag langs de Maas, op weg naar de biologische boerenmarkt in het centrum van Maastricht. Met op de terugweg onderin de kinderwagen zakken aardappelen, wortelen, appelen, flessen melk, broden

en nog meer voor de rest van de week. Later met een fietskar, waarin mijn koters opgepropt tussen papieren zakken met smakelijke stevige biobroden zaten. Het bakje blauwe bessen, gekocht bij de fruitkraam, was leeg als we thuis kwamen, de kinderwangetjes plakkerig en besmeurd. 'En we kregen bij de brood- en gebakkraam altijd van die lekkere appelbeignets', weten mijn oudste twee zich nog te herinneren. Toen we na tien jaar de Limburgse hoofdstad verlieten, was er spijt, zowel bij mij als bij de kraamhouders, over het afscheid. Dat is dan weer het nadeel als je een band met mensen opbouwt. Er zijn tegenwoordig zo'n zestig boeren- en streekmarkten in het land. Sommige wekelijks, sommige minder vaak. Op sommige markten staan uitsluitend biologische producenten, soms staan er ook andere streekproducenten. Via internet zijn deze markten te vinden.

Abonnementen

Zo'n twintig jaar geleden deed het fenomeen 'groenteabonnement' zijn intrede in Nederland. Het komt erop neer dat de afnemer wekelijks of tweewekelijks een pakket groenten krijgt. Met voor de boer als grote voordeel dat hij meer zekerheid heeft over zijn afzet en zodoende bijvoorbeeld makkelijk seizoensproducten kan verbouwen.

De groenteabonnementen kennen verschillende verschijningsvormen. Groot en klein (voor twee- of meerpersoonshuishoudens), maar er zijn ook fruit-, zuivel- en vleesabonnementen. Aan huis geleverd of op te halen bij ophaalpunten. Sommige worden rechtstreeks door boeren en tuinders geleverd. Andere door groothandels. Is er in dat laatste geval nog wel sprake van een kleinere voedselcirkel? Een stuk minder in elk geval dan wanneer er rechtstreeks een abonnement van de boer wordt gekocht.

Food hubs

Een veel gehoorde klacht over direct kopen bij de boer is: 'Ik heb daar geen tijd voor'. Voor de eieren en kaas naar boer Piet, de aardappelen en pompoenen naar boer Jan en het brood naar bakker Marie: wat een gedoe, gejakker en wat een tijd kost dat. Over die tijd: ook een kwestie van prioriteiten stellen, met de dagelijks bijna drieënhalve uur televisie kijken van de gemiddelde Nederlander in het achterhoofd. Het gejakker raakt aan een ander lastig punt. Als je al die boeren in de buurt op de fiets langsgaat, is er geen probleem, sterker nog, is een goede conditie de beloning en ligt overgewicht niet snel in het verschiet. Maar met de auto is het wel problematisch. Als iedereen voor zijn boodschappen naar allemaal ver uit elkaar liggende boeren gaat rijden, dan levert dat per saldo nogal wat (fossiele) energievretende kilometers op. Veel meer dan wanneer verschillende boeren naar één punt komen – zoals de boerenmarkt – en de consumenten daar een flink deel van hun boodschappenpakket halen. Distributie, het is een belangrijk en lastig probleem bij het werken aan lokale en regionale voedselvoorziening. Een manier om daarmee om te gaan is wat ze in de VS *food hubs* noemen. Een *food hub* is een bedrijf of organisatie die actief werkt aan het bij elkaar brengen, de distributie en marketing van lokaal en regionaal geproduceerd voedsel. Op allerlei manieren. De Biologische Producentenvereniging Achterhoek is er een mooi voorbeeld van. Die rijdt één of enkele keren per week langs alle ongeveer vijftien aangesloten bioboeren. En zorgt ervoor dat die elkaars producten kunnen verkopen. Yoghurt van zorgboerderij De Vijfsprong en appelsap van fruitbedrijf 't Gelders Eiland gaan naar de tuinderij van Jopie en Heleen bij Deventer, die mierikswortel en ijsbergsla meegeven voor in de boerderijwinkels van De Vijfsprong en 't Gelders Eiland. Zodat al die verschillende boerderijwinkels een behoorlijk volledig voedselassortiment hebben. Gemak én minder voedselkilometers voor de winkelende lokale eter.

Een ander voorbeeld is Oregional, een coöperatie van boeren in de regio Nijmegen, Arnhem en Kleef. Streekproducten en biologische producten van de aangesloten leden worden rechtstreeks geleverd aan afnemers binnen de regio: horeca, winkels, bedrijfscateraars en zorginstellingen of via een webshop. De Sint Maartenskliniek in Nijmegen koopt sinds 2009 haar voedsel in bij Oregional. De Wageningen Universiteit onderzocht wat het effect is op verreden kilometers, energieverbruik en broeikasemissies, sinds de Sint Maartenskliniek regionaal boodschappen doet. Per saldo bleek het energieverbruik met eenderde verminderd en bleken de broeikasgasemissies navenant minder, ten opzichte van het 'landelijk' boodschappen doen.

Bezorgservice

Een beetje vergelijkbaar met de Producentenvereniging Achterhoek is de bezorgservice van de Gouden Pompoen. Het verschil is dat die bij de consument thuis bezorgt, in de gemeente Deventer. Op vrijdag krijgen de klanten een bestellijst gemaild met daarop het aanbod van lokale boeren en biobakkers. Voor maandag 12 uur moet de lijst worden teruggemaild – zonder wekelijkse bestelverplichting. Op woensdagmiddag wordt de bestelling thuisbezorgd. Bij bestellingen onder de €15 komen er €2,50 bezorgkosten bovenop de rekening. Zo zijn er door het hele land bezorgdiensten. Sommige biologisch, sommige breder. De ene regio is groter dan de andere. EKO Twente bezorgt behalve in Twente ook in de Achterhoek en op de Veluwe. 'Beter Bio' bezorgt door het hele land. Thijl Klerkx, een ondernemer van negentien, bezorgt zijn bioboodschappen op de bakfiets alleen in en rond Wychen.

VOKO's

In mijn studententijd bleek ik samen met een boel medestudenten en afgestudeerden op een lijst te staan van de plaatselijke Nijmeegse inlichtingendienst. Wat voor terroristische achtergrond hadden wij? Wij waren lid van Voedselkoöperatie De Tuinbroek. De bijzondere belangstelling van de inlichtingendienst zal ermee te maken hebben gehad dat de coöperatie – consequent met een 'k' geschreven – haar zetel had in kraakpand De Grote Broek, waar in De Onderbroek, oftewel de kelder, ruige muziekfeesten werden gehouden.

Nu is zo'n VOKO inderdaad potentieel ondermijnend: voor de supermarkten. Een voedselcoöperatie koopt gezamenlijk biologische voedingsmiddelen in. Een *food hub* dus, niet van producenten, maar van consumenten. Ik ben al lang geen lid meer van de VOKO, maar die in Nijmegen, opgericht in 1981, blijkt er nog steeds te zitten, in de inmiddels gelegaliseerde Grote Broek. Er zijn daarnaast de afgelopen jaren ook nieuwe VOKO's ontstaan, nu vaak 'collectieven' genoemd, maar waarschijnlijk vanwege de herkenbaarheid nog steeds gespeld als VOKO. Eind 2014 bijvoorbeeld in Utrecht.

Kort gezegd komt een voedselcollectief hier op neer: doordat de leden zélf bij de boer inkopen, is biologische voeding een stuk goedkoper dan wanneer het in de supermarkt of natuurvoedingswinkel wordt gekocht. Waardoor deze voeding ook beschikbaar komt voor mensen met weinig geld. Daar staat tegenover dat er van de kopers verwacht wordt dat ze zich vrijwillig inzetten. Door bijvoorbeeld groenten en fruit bij de boer op te halen en naar een distributiepunt te brengen, door wat administratie te doen of een winkeldienst te draaien. VOKO Utrecht werkt (tot nu toe) met een distributiepunt in een buurtcafé, waar de leden tweewekelijks hun lokale groenten kunnen ophalen. VOKO De Grote Broek heeft een winkeltje dat twee keer per week geopend is, waarbij de leden bij toerbeurt winkeldienst draaien.

Behalve dat wij indertijd biologische groenten en zuivel van boeren uit de omgeving in het winkeltje verkochten, werden er ook allerlei droogwaren (zoals meel en macaroni) en andere producten, zoals schoonmaakmiddelen, verkocht. Die werden ingekocht bij distributiecentrum voor biologische levensmiddelen De Nieuwe Band. En afgeleverd als De Nieuwe Band zijn route langs natuurvoedingswinkels in het land maakte. Niet erg lokaal, maar koffie en rozijnen groeien hier niet. Bovendien deed én doet De Nieuwe Band zijn best om dichtbij in te kopen. Aanvankelijk verkocht het distributiecentrum bijvoorbeeld biologische boekweit uit China. Totdat de medewerkers er achter kwamen dat er ook in Duitsland biologische boekweit werd verbouwd. Die was wel véél duurder dan die uit China. Het opmerkelijke was dat nadat De Nieuwe Band de flinke prijsstijging aan zijn klanten had uitgelegd (liever biologisch van dichterbij), de verkoop van boekweit steeg. Over de verklaring is het gissen. Misschien dat mensen dach-

ten: 'Sympathiek van ze, laat ik die boekweit dan maar eens proberen.'
VOKO's zijn er door het hele land, in soorten en maten, klein en groot, met alleen groenten of met een groot assortiment. Sommige blijven bewust klein, om het overzichtelijk en persoonlijk te houden. Andere willen minstens tweehonderd leden hebben om lokale boeren en tuinders een minimum afzet en dus inkomen te kunnen garanderen. Het hangt dus mede van de doelstellingen van een VOKO af. In de praktijk blijkt dat je minimaal vijftien individuen of twaalf gezinnen nodig hebt om een voedselcollectief draaiende te houden.

Actiegroep ASEED (*Action for Solidarity Environment Equality and Diversity*) Europe heeft een (Nederlandstalige) handleiding gemaakt die behulpzaam is bij het opzetten van een VOKO. Daarin worden zaken behandeld als welke rechtsvorm je moet hanteren, van hoe ver mogen je producten komen, wel of niet alleen biologisch, hoe regel je de betalingen en hoe zet je vrijwilligers in.

Langzame streekproducten
Een van de aanjagers van de groeiende waardering voor lekker en fatsoenlijk lokaal eten is Slow Food. Begonnen in Italië is de beweging in grote delen van de wereld actief, zo ook in Nederland. In 2014 werd het eerste officiële Nederlandstalige Slow Food-boek gelanceerd: *Liever Lokaal*. Met voor elke dag van het jaar een recept, gemaakt met Nederlandse seizoensproducten. Zie daarvoor ook hoofdstuk 6 over koken.

Een van de projecten in Nederland van Slow Food is de Ark van de Smaak, waarin kleinschalige kwaliteitsproducten worden opgenomen die bij een regionale cultuur of traditie horen. Een bijzondere verzameling van fruitsoorten, groenten, dierenrassen, kazen, broodsoorten, gebak en vleeswaren, die vaak op punt staan of stonden om te verdwijnen. Door ze op te nemen in de Ark van de Smaak en de zichtbaarheid en de verkrijgbaarheid te vergroten, wordt samen met boeren, verwerkers en lekkerbekken geprobeerd dat verdwijnen te voorkomen. En zo ook bij te dragen aan het behoud van traditionele verwerkingsmethoden, ecosystemen, inheemse rassen en lokale variëteiten. In het overzicht hiernaast zie je de producten die nú in de Ark zitten, maar er staan er een heleboel in de rij om ook aan boord te komen. Door bij het boodschappen doen regelmatig deze producten te kiezen, steun je lokale producenten en de regionale economie. Bovendien leer je weer wat smaak is: die is stukken dieper, intenser, karakteristieker, gewoon lékkerder dan je gewend bent.

De brandrode runderen van boer Berrie zijn opgenomen in de Ark van de Smaak.

Nederlandse producten in de Ark van de Smaak

Vleesproducten:

- Brandrood rund
- Chaamse Pel (kippenras)
- Drents heideschaap
- Fries-Zeeuws melkschaap
- Fryske droege woarst
- Kempisch heideschaap
- Lakenvelder rund
- Maestrichtse kalfspastei
- Naegelholt (Achterhoeks gedroogd en gepekeld rundvlees)
- Ossenworst
- Schoonebeeker schaap
- Twentse landgans

Zuivel:

- Boeren Goudse Oplegkaas (BGO)
- Leidse boter
- Leidse kaas
- Texelse schapenkaas

Fruit- en fruitproducten:

- Bellefleur-appel
- Eldense blauwe pruim
- Limburgse stroop
- Tonneboer-pruim
- Westlandse tafeldruiven
- Zoutewelle-peer

Vis en schelp- en schaaldieren:

- Oosterschelde-kreeft
- Traditionele vissen uit de Waddenzee (zoals harder)
- Zeeuwse platte oester

Graan- en graanproducten:

- Brabantse grijze boekweit
- Gagelbier
- Kuitbier
- Schiedamse moutwijn
- Sint-Jansrogge
- Vlaardings ijzerkoekje

Groenten:

- Bloemendaalse gele kool
- Giel Waldbeantsje (oud bonenras uit De Walden, Friesland)
- Ingelegde gele komkommer
- Katwijks peentje
- Kollumer zoete grauwe erwt
- Reade Krobbe (oud bonenras uit de Friese Wouden)
- Soester knol

Honing:

- Veluwse heidehoning

Een beetje boeren: arbeid en kapitaal

Behalve als klant kun je ook intensiever betrokken raken bij een boerenbedrijf door arbeid en kapitaal in een agrarische onderneming te stoppen. Waardoor het voor boeren makkelijker kan worden om de afzet dicht bij huis te houden. En zelf word je 'co-producent', oftewel een beetje boer.

Zelfpluktuin

Arbeid is duur. Vandaar dat vooral producten die veel handen vragen, voor een flinke prijs in de winkel liggen. Frambozen zijn bijvoorbeeld niet machinaal te oogsten. Vandaar dat ze in de winkel meestal zo idioot duur zijn. Een extra reden om zelf wat frambozenstruikjes aan te planten. Maar er is nog een betaalbare manier om aan een fatsoenlijke hoeveelheid verse frambozen te komen: zelf plukken bij de tuinder. Zoals bijvoorbeeld in de Zelfpluktuin op Texel. Behalve frambozen kun je daar ook aardbeien, rode, zwarte, kruis- en blauwe bessen en bramen plukken én slabonen, tomaten, zonnebloemen en dahlia's. In het boerderijwinkeltje wordt alles wat je geplukt hebt afgewogen en afgerekend. Door het hele land zitten er verschillende zelfpluktuinen, vooral van aardbeientelers. Niet gek: aardbeien zijn het lekkerst als ze helemaal rijp geoogst worden, wat bij aardbeien uit de supermarkt niet het geval is. Dat geldt trouwens voor bijvoorbeeld tomaten, frambozen en bramen net zo goed.

Oogstaandeel

Een stap verder dan de zelfpluktuin gaat Jan-Jaap Scholten met zijn biologische groentetuinderij bij Schalkhaar (gemeente Deventer). Aan het begin van het seizoen kopen klanten bij Jan-Jaap een oogstaandeel (per volwassene €195; kinderen betalen minder, tot vijf jaar gratis). 'Met als voordeel dat ik niet bij de bank hoef te zeuren', aldus Scholten. Als tegenprestatie mogen zijn aandeelhouders wekelijks komen oogsten en hebben ze inspraak in wat Scholten teelt. 'Als ze liever peultjes dan kapucijners hebben, houd ik daar rekening mee.' Samen dragen boer en consument zorg voor een stuk grond, is het idee. Elke week stuurt Scholten zijn klanten een e-mail met wat ze kunnen oogsten en in welke hoeveelheden. Als een bepaalde teelt niet goed is gegaan, hebben ze met z'n allen pech... 'Het blijft een natuurlijk proces en ik kan als tuinder geen garantie geven. Ik koop geen vervangende groenten, tenzij mij slecht beheer verweten kan worden.' Daar staat tegenover dat als er van een bepaald gewas extra veel groeit (bij warm en vochtig weer in de zomer bijvoorbeeld), er een mail uit gaat dat er extra geoogst mag worden. Aan het eind van het seizoen organiseert Scholten een ledenvergadering. Daar worden het voorgaande seizoen en nieuwe plannen besproken en geeft Scholten inzicht in zijn boekhouding.

Scholtens bedrijf is een voorbeeld van wat ze in de Verenigde Staten en Canada *Community Supported Agriculture* (CSA) noemen: er zijn in die landen meer dan duizend van dergelijke bedrijven. De klanten zijn eigenlijk geen klanten, maar deelnemer, lid van de boerderij. In Nederland wordt het model soms vertaald als 'pergolamodel'. De pergola staat symbool voor de relatie tussen de klanten en het boerenbedrijf: de deelnemers vormen het symbolische geraamte waarlangs de plant (het bedrijf) kan klimmen en waaraan het steun en stevigheid ontleent.

De basisprincipes van *Community Supported Agriculture* zijn: gezamenlijk delen van de oogst (risicodeling); wederzijdse zorg; gezamenlijk delen van de kosten; openheid van zaken: transparante prijsvorming, open boekhouding. De deelnemers zijn betrokken bij het beleid van de boerderij en worden daarover uitgebreid geïnformeerd.

Er zijn inmiddels ook in Nederland verschillende CSA-bedrijven. Niet allemaal werken ze met een zelfpluksysteem:

soms worden de pakketten naar distributiepunten gebracht. De prijs ligt dan vaak hoger: logisch, want de boer, zijn familie of zijn personeel heeft dan voor je geoogst.

Crowdfunding

Nóg een Engelse term die de afgelopen jaren opgeld heeft gedaan, is crowdfunding. Vrij vertaald: met een boel mensen geld bij elkaar harken, meestal om een nieuw en sympathiek bevonden project mogelijk te maken. Ook in de voedselvoorziening grijpt het fenomeen om zich heen, bijvoorbeeld in de vorm van *crowdbutching*. Zoals van het bedrijf Buitengewone Varkens. In vrij korte tijd wisten de initiatiefnemers 2.500 'aanhangers' te werven die geld wilden steken in de aankoop van een deel van een varken, ruim voordat ze ervan konden eten. Buitengewone Varkens houdt Gasconne bosvarkens en Bonte Bentheimer weidevarkens, oude varkensrassen die buiten kunnen wroeten, luieren en rennen in bos, akkers en weides. Het voer voor de varkens wordt door de boeren zelf geteeld, in plaats van uit een ver buitenland gehaald, zoals voor de meeste varkens in Nederland.

De crowdfunders kopen certificaten en het daarmee verzamelde geld wordt gebruikt om grond te huren, zaaizaad voor het voer te kopen, stro en hutjes voor de beesten aan te schaffen, de dieren goed te verzorgen, de boer te betalen en de verwerking te bekostigen. Gedroogde ham maken kost bijvoorbeeld een jaar: hiervoor moet tijd en (droog-)ruimte worden betaald. Dankzij de investering van een groep mensen, hoeven de buitengewone varkensboeren niet voor alle kosten bij de bank aan te kloppen én hebben ze een minimum aan zekerheid over hun afzet. Ze zijn dus veel minder afhankelijk van de banken en supermarkten, waardoor ze de ruimte hebben om milieu- en diervriendelijk te boeren en hoogwaardige, smakelijke producten te leveren. De deelnemers kunnen kiezen uit een eenmalige investering – waarvoor ze drie vleespakketten krijgen – of een doorlopend jaarabonnement, waarvoor ze, afhankelijk van de grootte van de investeringen, drie of negen varkensvleespakketten ontvangen. De varkens worden op tien locaties verspreid over het land gehouden, de vleespakketten kunnen op distributiepunten worden afgehaald of – tegen extra betaling – worden thuisbezorgd.

Enigszins vergelijkbare initiatieven zijn Koopeenkoe.nl en Koopeenvarken.nl: daar kan een deel van een varken of koe (in de praktijk een pakket met van alles van een varken of koe) worden gekocht. Pas wanneer de hele koe of het hele varken gekocht is, gaat die naar de slacht. Er wordt bij verteld van welk (biologisch) bedrijf het varken komt. Het pakket wordt na zo'n twee weken bezorgd. Op een afhaalpunt langs een bezorgroute gratis, daarbuiten tegen extra betaling.

Een boer in dienst nemen
In het Brabantse Boxtel gaat binnenkort de eerste Herenboer van start. Voor het achterliggende idee is in het hele land belangstelling: in Bronckhorst, Winterswijk, Amsterdam, Utrecht, Rotterdam en Eindhoven wordt eraan gewerkt. Het

idee komt hier op neer: een groep burgers neemt een boer in dienst, die voor hen voedsel gaat leveren. 'Het is ontstaan vanuit verbazing', vertelt Geert van der Veen, een van de initiatiefnemers. 'Dan zie je in de reclame dat de Albert Heijn zes karbonades voor de prijs van twee aanbiedt en vervolgens in het *Journaal* varkens die in de tang worden genomen omdat ze geruimd moeten worden. Kan het niet anders?' Ja, er zijn heel veel kleinschalige alternatieven, waarbij eigen voedsel verbouwd wordt. 'Probleem bij bijvoorbeeld stadslandbouw is dat je daar vaak weinig professionaliteit ziet. Als daar de sterkste vrijwilliger stopt, zakt de voedselproductie in elkaar.' Van der Veen en wat andere kartrekkers gingen bij elkaar zitten om andere manieren te bedenken. Een eigen boerenbedrijf beginnen zonder boer in de familie is te duur: de grond is veelal te niet betalen. 'Kunnen we niet met tweehonderd gezinnen een boerderij kopen? Als iedereen 2.000 euro inlegt, heb je 400.000 euro.' Dat bleek niet genoeg, maar voor de rest wordt een aanvullende financieringsconstructie verzonnen. Daarvoor kan een boerderij van 20 hectare worden gekocht. Daarop komt een gemengd bedrijf met productie van fruit, groenten, varkens, kippen en runderen, misschien wat akkerbouw. Met de herenboerderij kan in 60 procent van de voedselbehoefte van de aangesloten gezinnen worden voorzien, is de bedoeling. Het gaat om niet-verwerkte producten. Brood zit er dus niet bij, wel vlees.

Van der Veen en zijn mede-initiatiefnemers hadden in vrij korte tijd honderd handtekeningen bij elkaar van mensen die wilden meedoen en de locatie kon worden aangekocht. De coöperatie neemt een boer in dienst, die veel autonomie krijgt. Uitgangspunt is het door de coöperatie opgestelde teeltplan, dat door de boer wordt uitgevoerd. Hij is de deskundige voedselproducent, die een salaris krijgt van zo'n 40.000 bruto per jaar. De consumenten kopen voor wekelijks 25 euro aan voeding op hun herenboerderij. Op jaarbasis is dat zo'n vijf-

tot zevenhonderd euro goedkoper dan de gemiddelde super-marktvoeding, volgens Van der Veen.

Er wordt gestreefd naar biologische kwaliteit, maar niet met een keurmerk, want dat brengt veel bureaucratie en kosten met zich mee: de consumentenboer gaat het vooral om lekker en 'beleefbaar'. De distributie van de producten is nog niet vastgesteld. Gedacht wordt aan zo'n zeven ophaalpunten, zodat de pakketten niet naar tweehonderd adressen gereden hoeven te worden.

Door de 2.000 euro die de mensen in het bedrijf hebben gestopt, zijn ze voor 1/200 eigenaar van het bedrijf. Alleen af-nemers van de boerderijproducten kunnen aandeelhouder zijn. De aandelen zijn dus niet vrij verhandelbaar op een aandelen-beurs.

Marktplaatsen voor YIMBY-foodies

Als je zelf een overdosis courgettes in je tuin hebt, of dol bent op jam maken maar deze zelf niet allemaal opgegeten krijgt, dan kun je wat je over hebt op een kratje aan de weg leg-

gen of zetten, een potje erbij voor het muntgeld. Vooral in de zomer zie je dat op nogal wat plekken, fietsend over het platteland. Maar via verschillende, vaak nog wat experimentele internetmarktplaatsen wordt geprobeerd die huisnijverheid een stapje verder te brengen. Op de website Locafora.nl kunnen lokaal geproduceerde voedingsmiddelen worden gekocht en verkocht. Een stapje verder gaat Wetailer.com, dat in 2014 in Amsterdam is gestart. Bedoeld om hobbykoks, thuisbrouwers, kleine lokale voedselproducenten én voedselliefhebbers bij elkaar te brengen. *We democratise food in your hood*, is het motto. Door te bemiddelen bij proeverijen: is mijn product lekker genoeg om op de markt brengen? Door te helpen bij het zoeken van productielocaties en -spullen en bij transport van de lokaal gemaakte voedingsmiddelen. 'We geloven in een toekomst waar consumenten gaan produceren', aldus de website. 'Prosumeren' noemt Wetailer dat, die graag burgers wil ondersteunen om meer en beter hun voedsel te verkopen.

Bij het maken van dit boek is het nog te vroeg om te kunnen zeggen of dergelijke initiatieven een succes zijn. Sympathiek en veelbelovend zijn ze in ieder geval.

Toch de supermarkt

'Ben ik er trots op als ik er aan het eind van mijn carrière voor gezorgd heb dat Nederland twee keer zoveel Magnums eet?', vroeg Drees Peter van den Bosch zich af toen hij bij Unilever werkte. 'Nee', moest hij concluderen. In diezelfde periode fietste hij langs een appelboer. Die vertelde hem dat het niet best ging met de afzet en de prijs voor zijn appels. Even later zag Van den Bosch in de supermarkt de bakken vol liggen met appels uit Chili en Nieuw-Zeeland. 'Raar, waarom komen die niet van de teler bij mij uit de buurt?' Met die vraag ging hij, samen met Unilever-collega Willem Treep, naar het hoofdkantoor van Albert Heijn. 'Dat willen we wel, maar dat kunnen we niet', was het antwoord van de grootste kruidenier van Nederland: de logistiek is bij Albert Heijn volledig gecentraliseerd. Alle producten worden naar één distributiecentrum gebracht en van daaruit naar de winkels van de keten.

Dan gaan we het zelf doen, dachten de Unilever-collega's, die hun banen opzegden: het bedrijf Willem & Drees werd geboren. Met als doel om aardappelen, groenten en fruit uit de buurt in de nabije supermarkt te krijgen. Begonnen in 2009 in de regio Amersfoort, zijn Willem & Drees inmiddels actief in heel Nederland. Met een netwerk van telers leveren zij aan supermarktketens Jumbo, C1000, Spar en Coop én aan cateraars die fruit op werkplekken leveren. Op de website van Willem & Drees is te zien in welke filialen van de genoemde supermarkten ze hun producten leveren én waar de boeren zitten bij wie wordt ingekocht.

In België wil supermarkt Carrefour met zijn actie 'Word Belgitariër' bereiken dat consumenten voorrang geven aan Belgische producten. Carrefour claimt dat ongeveer 80 procent van de melk, 90 procent van het vlees en 85 procent van het seizoensgebonden fruit- en groenteaanbod in zijn winkels van Belgische oorsprong is.

Sommige boeren lukt het zélf hun lokale producten in de supermarkt te krijgen: boer Berrie uit Lettele verkoopt zijn vlees, behalve via pakketten en zijn boerderijwinkel, ook aan de Plusmarkt in Deventer. En Betsie bij mij een straat verderop, verkoopt haar zelf gemaakte aardbeienjam in de dorpssuper van Ronald. Lokale producten in de supermarkt: het kan dus best.

Hoofdstuk 6
Koken en verwerken

Miljoenen mensen over de hele wereld zitten tegenwoordig langer naar kooktelevisie te kijken dan dat ze zélf in de pannen staan te roeren. Een curieuze paradox: blijkbaar heeft eten klaarmaken iets aantrekkelijks en toch wordt er steeds minder tijd aan besteed. Die paradox is het startpunt van Michael Pollans boek *Een pleidooi voor echt koken* (vertaald uit het Engels: *Cooked, a natural history of transformation*). Deze Amerikaanse voedseljournalist schreef eerder populair geworden voedsel- en landbouwboeken. Daarin smeedt hij mooie reportages met wetenschappelijke en cultuurfilosofische inzichten aaneen tot kloeke boeken die het lezen meer dan waard zijn. Voor *Een pleidooi voor echt koken* liep Pollan stage bij verschillende voedselbereiders: hij leerde een heel varken roosteren, smakelijke stoofpotten maken, alle ins en outs van zuurdesembrood bakken, schimmelkazen, zuurkool en bier maken. Zuurkool, kaas en bier maken is nou niet iets wat de meeste mensen dagelijks doen.

Toch is het een aanrader om je daar minstens één keer aan over te geven, vindt Pollan, alleen al omdat het zo leerzaam is. We leren dan niet alleen iets over specifieke culinaire technieken, maar veel meer, ja zelfs over wie we als mens zijn. Want we zijn mens dánkzij het koken.

Dat is tenminste de theorie van de door Pollan aangehaalde antropoloog en primatoloog Richard Wrangham. Ergens in de prehistorie gingen onze aapachtige voorouders hun voedsel buiten hun lichaam om voorverteren: want dat is bakken, braden, koken of fermenteren feitelijk. Daardoor had het lichaam energie over (want voedsel verteren kost veel energie) voor de hersen, die vervolgens flink konden groeien tot de omvang van die van de homo sapiens. Als koken zoiets fundamenteels is, moet het ernstige gevolgen hebben als we steeds minder gaan koken. Dat is ook zo: wie niet kookt, wordt dikker en ongezonder, want gaat allerlei voorverpakte industriële dingen eten. Als maaltijd, opgewarmd in de magnetron en tussendoor door allerlei gesnaai van zoute, vette en zoete gestandaardiseerde prefab. Bovendien betekent voedselbereiding overlaten aan de industrie, dat we onszelf als mens reduceren tot consument. In het huidige supermarkttijdperk juist wél koken is volgens Pollan daarentegen 'een protest tegen de totale rationalisering van ons leven. Tegen de infiltratie van commerciële belangen in letterlijk elke uithoek van onze levens'. Tegen te ver doorgevoerde specialisatie ook, die wil dat we onze arbeid verkopen ('werk') en voor de rest van de tijd dingen aanschaffen die door anderen zijn geproduceerd (als 'consument'). 'Het veroorzaakt hulpeloosheid, afhankelijkheid en onwetendheid en uiteindelijk ondermijnt het elk gevoel van verantwoordelijkheid.'

Zelf een varkensschouder braden, bier brouwen, brood bakken, maar ook zoiets simpels als pizzadeeg kneden of een stoofpot klaarmaken: volgens de gangbare economische ideeën is het dom en inefficiënt. Want in de tijd die het kost om je eigen zuurkool te maken, kun je bijvoorbeeld als freelance journalist geld verdienen, waarmee je vervolgens veel méér zuurkool kunt kopen. Maar deze, in onze maatschappij steeds dominanter wordende, redenering ziet volgens Pollan heel veel over het hoofd. Zelf iets tastbaars en bruikbaars maken, iets wat je eigen lijf en dat van je naasten onderhoudt, is heel bevredigend. Niet te vertalen in termen van de op euro's en efficiënte gerichte economie. Bovendien voel je veel meer verantwoordelijkheid als je zélf iets maakt: je wordt eraan herinnerd dat producten niet zomaar 'consumptieartikelen' zijn, maar dat er een heel web van relaties, tussen mensen en natuur, aan ten grondslag ligt: een hele voedselcirkel, groot of klein. Zodra je zelf een keer bier brouwt, realiseer je je dat dat niet slechts een product uit de fabriek is, maar iets dat terugvoert naar een akker met gerst, zwiepend in de wind, naar rankende hopplanten en talloze onzichtbare microben die de suikers in mout omzetten in alcohol. Het mooie van Michael Pollans werkwijze is dat hij onder woorden brengt wat veel mensen gevoelsmatig wel weten. Zoiets simpels als koken, niet per se bier brouwen, wint dankzij Pollans woorden enorm aan maatschappelijke betekenis en je krijgt extra zin om de keuken in te duiken. Wat hebben zelf koken en de voedselcirkel nu met elkaar te maken? Heel veel. Als je niet zelf kookt, is het heel moeilijk om aan een kleinere voedselcirkel te werken. Eten moet iedereen. Wat eet je als je niet zelf kookt? Af en toe een maaltijd in een restaurant: prima. Maar verder zal het niet-zelfkokende huishouden zijn toevlucht moeten nemen tot kant-en-klaarmaaltijden, of gedeeltelijke kant-en-klaar-producten. 'Een beetje van maggi, een beetje van jezelf' is een mooi bedachte reclameleus om de (in mijn beleving vieze tot smakeloze) industriële pakjes en zakjes aan de man te brengen. En die toch nog een beetje doe-het-zelfillusie te geven. Voor maaltijden die je (deels) niet zelf klaarmaakt, geldt dat je dus ook niks meer te zeggen hebt over hoe en waarmee deze gemaakt zijn. Lokale kant-en-klaarmaaltijden: ik heb er nog nooit van gehoord. Complete maaltijden of voorbewerkte onderdelen van maaltijden uit de supermarkt zijn meestal samengesteld uit een groot aantal producten die van over de hele wereld komen – daar waar deze het goedkoopst kunnen worden ingekocht. Om te werken aan een kleine voedselcirkel is zelf koken dus onontbeerlijk.

Maar zelf koken wil uiteraard niet zeggen dat je dan automatisch met spullen van dichtbij kookt. Je kunt heel goed een zelf gekookt maaltje op tafel zetten waaraan heel veel voedselkilometers vooraf zijn gegaan. Sperzieboontjes uit Ethiopië of Kenia. Aardappels uit Egypte, biefstuk uit Argentinië, aardbeien uit Zuid-Spanje, appels uit Chili. Als je niet heel erg gericht bent op de herkomst van producten, weet je vaak niet waarmee je staat te koken.

Nu ik er zo over nadenk: ik weet eigenlijk ook niet waar het graan vandaan komt van de biologische tagliatelle die ik koop. Uit Italië, blijkt na wat onderzoek. Niet echt lokaal. Dat geldt ook voor de rijst. Dus geen pasta en rijst meer? Zo ver wil ik niet gaan (zie ook hoofdstuk 7 over dilemma's en problemen). Anderzijds, zo gek is het niet om ook eens een keer risotto te maken van speltgraan van bioboeren uit de buurt, of in ieder geval uit Nederland. Om maar eens wat te noemen. En zelf pasta maken van Nederlands speltmeel is behalve heel lekker ook erg leerzaam.

Jopie Duijnhouwer tussen de spelt op zijn akker

Daarnaast zijn er een heleboel prefab-producten die overduidelijk nogal zinloos zijn. Pannenkoekenmeel uit een pakje: gewoon meel, waaraan wat zout of rijsmiddel is toegevoegd. Waarom zou je dat in vredesnaam kopen? Het is duurder en levert geen enkele tijdswinst of extra gemak op. Je moet er alsnog melk en eieren doorheen kloppen, zoals je dat ook met zelf afgewogen meel voor de pannenkoeken doet. En je kunt niet beslissen om eens pannenkoeken te bakken van meel van een boer uit de buurt. Ik vermoed dat het pakjeskoken en -bakken te maken heeft met een gebrek aan zelfvertrouwen, aan geloof in eigen kunnen. 'Aangeleerde hulpeloosheid' noemt Pollan dat. Dat zelfvertrouwen valt weer terug te winnen. Door te proberen, te lezen, te delen, de fout in te durven te gaan, maar bovenal te doen: koken en bakken.

Onbewerkte groenten, fruit, zuivel, vlees en eieren kun je kopen in de buurt. De vraag voorafgaand aan het koken is dan niet 'waar heb ik zin in' of 'wat staat er in het kookboek', maar: 'wat is er voorhanden'. Kijk wat er is. In de keukenkast, koelkast, schuur, voorraadkast, in de tuin, bij de boer. Als je zelf je spinazie hebt gezaaid, hebt zien ontkiemen en groeien in de eerste voorjaarsweken, kijk je reikhalzend uit naar het moment deze groente te kunnen gaan oogsten. Ook wie regelmatig bij een boer aan huis of op de markt koopt, weet dat het aanbod wisselt per seizoen. Midden in de winter geen tomaat en komkommer, wel witte kool en rode biet. Geen verse geiten- en schapenkaas in de koude maanden, want dan geven moedergeit en -schaap geen melk.

Het scheelt trouwens behoorlijk wat keuzestress, zeker in de winter, om met producten van het seizoen te koken. De mogelijkheden zijn dan beperkt. En dat kan gek genoeg juist prettig zijn en de creativiteit stimuleren. Alweer rode biet? Wie zich er een beetje in verdiept en durft te experimenteren, ontdekt dat de mogelijkheden met bieten schier oneindig zijn. Poffen, koken, bakken, stoven, roken, er sap van maken, fermenteren, rauw, in salade, wecken, hakken, raspen, in soep, met haring, geitenkaas of hazelnoten. En dat geldt ook voor al die andere typische winterse producten als penen, knolselderij, witte kool, rode kool, spruiten en witlof.

Om op ideeën te komen is het helemaal niet gek te bladeren door eetbladen en kookboeken, zoals mijn eigen *Ik eet, dus ik ben* en *Lekker Landschap*, te snuffelen op websites en kooktelevisieprogramma's en instructiefilmpjes op internet te bekijken. Je hebt daar speciale kookkanalen, zoals Foodtube. Als je het maar niet laat bij kijken alleen. De meeste groentepakketten of boerderij-abonnementen leveren trouwens recepten bij de producten die ze aanbieden. En als aan het eind van de winter de rode biet en witte kool je dan toch de neus uit komen, smaken de eerste raapstelen en paardebloembladeren extra lekker.

Voor wie toch wat stimulans en aanmoediging nodig heeft op het kookpad: het stikt tegenwoordig van de kookcursussen, -workshops, -clubjes, -demonstraties en -happenings. Er lijkt maatschappelijk sprake van tegenstrijdige trends: enerzijds wordt er minder en minder uitgebreid gekookt. Anderzijds is koken hot en trendy. Ik weet niet zeker hoe dat kan, gedeeltelijk zullen de groepen elkaar uitsluiten: er zijn flinke bevolkingsgroepen die steeds minder zelf koken. Andere voorhoede-achtige groepen, zoals die van Slow Food, maken een tegenovergestelde beweging. En gedeeltelijk gaat het om dezelfde groepen: doordeweeks kiezen ze voor snel klaar te maken, voorbewerkt voedsel, in het weekend nemen ze de tijd om uitgebreid en langzaam te koken. Hoe dan ook: het af en toe samen met anderen koken, praten over koken, recepten uitwisselen, naar streekmarkten of kookdemonstraties gaan, kan heel inspirerend en leerzaam zijn.

Koelen en vriezen, zegen en vloek

De koelkast en de diepvrieskist zijn zowel een zegen als een vloek voor de kleine voedselcirkel. Om met die vloek te beginnen: dankzij gemotoriseerd transport én dankzij koeltechnieken, leven we in een 'permanente mondiale zomertijd'. In welk jaargetijde je waar ook zit, je kunt het hele jaar door 'verse' aardbeien krijgen, aangevoerd vanuit allerlei delen van de wereld. Die koeltechnieken hebben allerlei voedselsystemen ondergraven. Terwijl Nederland vroeger heel goed in zijn eigen appelbehoefte kon voorzien, is een groot deel van de vaderlandse fruittelers verdwenen en voor de enkele overgebleven appelboeren is het lastig om te overleven. Vooral vanwege de concurrentie van appels die van ver weg komen, helemaal uit Chili en Nieuw-Zeeland zelfs. Mogelijk gemaakt dankzij koelkasten, koelschepen, koelwagens. Dankzij die wagens worden Noordzeegarnalen in Marokko of Polen gepeld, terwijl er vroeger in Nederland een hele garnalenpelcultuur was, een mooie bijverdienste voor veelal vrouwen in vissersplaatsen. Dankzij de vrieskist kan Nieuw-Zeelands lamsvlees hier als 'vers' in de supermarkt worden verkocht, terwijl onze eigen geitenbokjes hier niet worden gegeten maar naar Spanje worden geëxporteerd. Dankzij de vrieskist worden kippenvleugels, die Nederlanders om de een of andere reden niet meer willen eten, naar West-Afrika geëxporteerd, waardoor Afrikaanse kippenboeren kapot worden beconcurreerd.

Daar staat tegenover dat met name de vrieskist een fantastisch hulpmiddel is voor mensen die graag zoveel mogelijk in hun eigen groenten en fruit willen voorzien. In december eet ik nog eigen tuinbonen, uit de diepvries. Het hele jaar eten we op zondag bij de pudding en rijstepap rode en zwarte bessen uit eigen tuin, dankzij de diepvries. Met de verjaardagen van de kinderen in maart bakken we vlaaien met eigen pruimen uit de diepvries. Maar ook voor de professionele voedselvoorzieners zijn koeltechnieken tegenwoordig onmisbare hulpmiddelen. Boer Berrie verkoopt in zijn winkeltje dat twee dagen per week open is, al zijn vlees ingevroren. De omloopsnelheid is domweg niet groot genoeg om vers vlees te verkopen. Een nieuwe zuinige diepvrieskist die op groene stroom loopt en helemaal is volgestopt: dat is de meest duurzame vorm van invriezen. Schoongemaakt fruit kan er rechtstreeks in. Als je alle bessen in een zak doet, houd je na het ontdooien een fruitmassa over waar het sap uitloopt. Bij sommige toepassingen is dat niet erg, maar bij andere wil je graag nog de hele vruchten hebben. Leg om dat te bereiken alle fruit los van elkaar op een plaat in de vriezer. Zodra het bevroren is, kun je het alsnog bij elkaar in een zak of doos doen.

Groenten moeten eerst worden geblancheerd: kort in kokend water doen, afgieten, in een bak koud water helemaal laten afkoelen, laten uitlekken en in diepvrieszakken doen. Sommige groenten, zoals courgettes, laten zich niet goed invriezen. Toch heb je vaak in de zomer een overdosis courgettes. De oplossing is: er soep van maken. Die laat zich wel prima invriezen.

Invriezen is trouwens geen bewaarmethode voor de eeuwigheid: vlees wordt op een gegeven moment toch ranzig, ijs taai, brood grijs en fruit verliest smaak.

Toch valt er ook voor de lokale voedselvoorziening wel wat af te dingen op het belang van koelkast en diepvrieskist. Om te beginnen zijn het energievreters: wanneer je niet je eigen elektriciteit opwekt, is dat elektriciteit die van ver weg komt. Door de komst van de koelkast zijn verschillende technieken, ambachten en culturele tradities verloren gegaan, die het eeuwenlang mogelijk maakten om zónder koeltechnieken fatsoenlijk te eten. Sinds kelders bijvoorbeeld niet meer standaard in huizen worden gebouwd, missen we een koele plek waar heel veel eten en drinken zonder elektriciteit prima houdbaar blijft. Pekelen, drogen, fermenteren: conserveringsmethoden die eten lang houdbaar maken en vaak ook nog eens extra smaak en voedingsstoffen toevoegen. Maar teloorgegaan doordat vries- en koeltechnieken de noodzaak ondergraven.

De koelkast is een cultureel fenomeen, waar we heel lang zonder konden. In 1963 had al 99 procent van de Amerikanen een koelkast. Van de West-Duitsers was 52 procent voorzien, maar de absolute achterlopers in West-Europa waren Neder- land en België met respectievelijk 23 en 21 procent. Hoe kan dat? Onder andere omdat de melkman elke dag verse melk rondbracht en bovendien de koelkast als luxeproduct werd gezien. Maar in damesblad *Libelle* zie je dat verschuiven. In 1946 werd de koelkast er nog gepresenteerd als een toekomst- droom voor huisvrouwen, in 1956 'niet voor iedereen weg- gelegd' en in de jaren zestig voorkomt een verantwoorde huis- vrouw bederf en neemt dús een koelkast: 'Koud bewaard is geld bespaard'.

Ingevroren vlees kopen bij boer Berrie.

De koelkast is volgens voedselwetenschappers 'de belangrijkste uitvinding in de geschiedenis van voedsel en drinken'. Dat is de vraag. Het is heel leerzaam om je eens te verdiepen in die éne procent van de mensen die nog steeds geen koelkast heeft.

'Al een paar jaar heb ik geen koelkast meer en ook geen vriesvak of -kist', vertelt een blogger uit IJmuiden. Op een dag was haar koelkast stuk en omdat het winter was, zette ze de kaas en groenten in een doos in de schuur. 'Dat ging heel goed, dus is het zo gebleven.' Op de heetste zomerdagen doet ze wat minder uitgebreid boodschappen. 'Geen kilo's verse vis.' Nu ze eenmaal gewend is, realiseert ze zich dat een koelkast iets merkwaardigs is, zeker in onze koele streken: 'Goed geïsoleerd tegen de kou, steken we veel energie in het heet stoken van onze interieurtjes. Om vervolgens ín die warme interieurtjes een geïsoleerde kast te plaatsen, waarin we de inhoud met elektriciteit koud houden. Wat een idiote hoop energieverspilling. Raar toch dat dit normaal is.'

Uit het buitenland komen meer van dergelijke verhalen. Jonas uit Duitsland leeft al sinds 1993 zonder koelkast. Belangrijkste koelmethode: hij dekt de koel te bewaren etenswaren af met vochtige handdoeken. In de zomer maakt hij de handdoeken twee keer per dag vochtig, in de winter volstaat één keer. Het verdampende vocht onttrekt warmte aan de spullen, denk maar aan het brr-moment als je nat onder de douche vandaan komt of uit het zwembad stapt. Zelf gebruikte ik de nattelappenmethode toen ik vier maanden zonder elektriciteit op de Zimbabwaanse savanne woonde, waar het 's middags ruim 40 graden werd. Ik dronk behoorlijk frisse drankjes, dankzij de natte doeken rondom flesjes en blikjes.

Sommige dingen hóren helemaal niet in de koelkast. Tomaten, komkommers, paprika's, aubergines: heel vaak worden deze van oorsprong tropische gewassen in de koelkast gelegd, waar ze veel sneller verpieteren en smaak verliezen dan daarbuiten. Andere producten kunnen lange tijd zonder koelkast. Mosterd en mayonaise bijvoorbeeld, mits de mayonaise schoon blijft (altijd een schone lepel gebruiken). Eieren, boter, kaas, yoghurt, karnemelk: geen koelkast nodig. Kaas die buiten de koelkast bewaard wordt, heeft meer smaak. De enige producten die echt gekoeld moeten worden zijn verse melk en vers vlees. Wat 's winters trouwens meestal heel goed gaat in een afgesloten kist buiten het huis (denk ook aan het balkon) of in een goed afsluitbaar en vocht doorlatend gat in de tuin.

Oude conserveringsmethoden

Door oude conserveringsmethoden in ere te herstellen, zijn we niet meer per se afhankelijk van de diepvrieskist. Door eeuwen ervaring leerden mensen bacteriën en schimmels – die de oogst bedreigen – te slim af te zijn. De per ongeluk verzuurde melk bleek als yoghurt langer mee te gaan en, met een wat ingewikkelder procedé, nóg veel langer in de vorm van kaas. De boontjes bleken gedroogd uitstekend te eten, de kersen op brandewijn een feestelijke traktatie, het varken als gepekelde ham een winterse energieleverancier. Door weer meer de oogst uit eigen tuin, uit bos en veld of van de boer uit de buurt te conserveren, kunnen we het jaar rond lekker eten uit de buurt.

Bewaren
Sommige producten, zoals aardappelen, uien, wortelen, bieten en pompoenen, laten zich heel goed onbewerkt bewaren.

Oogst de uien als het loof begint te hangen. Bij droog weer de uien uittrekken en gedurende enkele dagen laten drogen. Vervolgens de uien in bossen bij elkaar binden en op een droge luchtige plaats hangen.

Bij bieten en wortelen na het oogsten met je handen het loof er vanaf draaien. Zorg dat er nog een restje loof blijft zitten, zodat de knollen blijven leven. Leg de knollen in grote bakken met droog zand, waarbij je ervoor zorgt dat de knollen elkaar niet raken. Op een koele, donkere, droge plek zetten.

Pompoenen in de huiskamer bewaren. Niet koud dus, want daar houden ze niet van. Meestal blijven pompoenen vele maanden goed. Controleer ze wel regelmatig op (beginnende) schimmel. Zodra zich een rot plekje aandient, dit er vanaf snijden en pompoen opeten. Op deze manier kun je de winter doorkomen met je eigen knollen en vruchtgroenten.

Wecken

Het voordeel van de oude traditie van het wecken is dat de smaak veel langer behouden blijft dan bij invriezen: tientallen jaren lang, een halve eeuw zelfs. Terwijl voor het bewaren geen stroom nodig is, zoals bij de diepvrieskist. Wel is het zaak om de gevulde weckpotten op een donkere plek te bewaren, want door licht gaat de kwaliteit achteruit.

Wecken komt hier op neer: fruit of groente gaat in glazen potten of flessen, wordt afgevuld met een vloeistof (water, bouillon of suikersiroop), dan afgesloten met beugelsluitingen en rubber ringen of andere geschikte weckdeksels en in een weckketel gedaan zodat de potten onder water staan. Vervolgens wordt het water op voldoende hoge temperatuur gebracht, gedurende een aangegeven periode. Door de verhit-

Bewaren voor later: zoetzuur van pruimen (zie pagina 139) en bewaaraardappelen

ting worden alle mogelijk schadelijke schimmels en bacteriën in de potten gedood. Bovendien worden de potten door het proces (verhitting en vervolgens afkoeling) vacuüm gezogen, waardoor er geen zuurstof meer bij de inhoud kan.

Temperatuur en periode zijn afhankelijk van het type fruit of groente en welke weckmethode gevolgd wordt. Bij de koud-beginweck worden de vruchten in weckglazen met water of suikersiroop gedaan, in een weckketel met koud water gezet en vervolgens langzaam, dat wil zeggen in anderhalf uur, op de gewenste temperatuur gebracht. Zacht fruit en stukjes appel en peer worden dan bijvoorbeeld gedurende tien minuten op 74 graden gehouden, kersen en pruimen gedurende een kwartier op 83 graden. Bij de warm-weckmethode wordt het water waarin de potten fruit worden gezet, eerst op 39 graden gebracht. Daarna wordt het in 25 tot 30 minuten op 88 graden gebracht. Zacht fruit, appel- en perenstukjes blijven dan nog twee minuten in de ketel, kersen en pruimen nog tien.

Vruchten met een hoog zuurgehalte en groenten zoals tomaten hebben een temperatuur nodig van maximaal 100 graden. Voor de meeste groenten en vlees zijn hogere temperaturen nodig, die alleen bereikt worden in een speciale weckketel met klem die voorkomt dat de deksel van de pan springt.

Appeltjes drogen en munt

Drogen

Door voedingsmiddelen te drogen, wordt het vochtgehalte tot bijna nul teruggebracht, zodat bederf geen kans krijgt: onder die omstandigheden willen bacteriën namelijk niet groeien. Groenten, fruit, paddestoelen en kruiden zijn goed zelf te drogen, mits het snel genoeg gebeurt, maar ook weer niet te snel en te heet, want dan verliezen kruiden hun geur en smaak en wordt fruit te hard. Kruiden als tijm, rozemarijn, munt, citroenmelisse, bonenkruid en kamille kun je in niet te dikke bosjes ophangen op donkere, luchtige en niet-vochtige plekken, bijvoorbeeld op zolder. Zodra de kruiden knisperig droog zijn, de bladeren van de stelen rissen en in luchtdichte potten doen. Kruiden als basilicum, peterselie en bieslook lenen zich niet goed voor drogen: er blijft weinig smaak over. TAppels, peren, druiven en kwetsen (een pruimensoort) zijn te drogen. Het makkelijkst zijn zoete appels. Dat kan op verschillende manieren. Als de zon kracht heeft, kan het buiten door appels met een appelboor van klokhuis te ontdoen, in dunne plakken te snijden, en op donkere platen in de zon te leggen. Binnen door de appelplakken aan touwtjes zo'n twee dagen boven de kachel te hangen. Of gebruik een elektrische oven. Dat werkt goed omdat de temperatuur goed valt te regelen; bij een gasoven lukt dat niet. Leg de appelschijven op met dun doek beklede roosters; neteldoek werkt het best. Schuif ze in een oven op 50 graden, met de deur op een kiertje. Zo'n tien tot twintig uur: er moet geen vocht meer uit de appeltjes komen als je er stevig in knijpt, en tegelijkertijd moeten ze wel soepel blijven. Voor peren geldt in principe hetzelfde procedé. Gebruik stevige, niet al te rijpe peren.

Er zijn ook apparaten in de handel om fruit en groenten te drogen, die meestal op elektriciteit werken. Wie een beetje handig is, kan zelf een zonnedroger timmeren waarvoor geen elektriciteit nodig is. Her en der worden zelfs workshops 'zonnedroger bouwen' gegeven.

Pekelen

Pekelen is het conserveren van etenswaren door deze in te leggen in zout of pekel: water met een heel hoog zoutgehalte. Pekelen wordt bijvoorbeeld toegepast op zoute haring, spek, ham en kaas. Door de grote hoeveelheden zout gaan schadelijke bacteriën dood. Daarnaast geeft deze manier van conserveren een unieke, intense smaak.

Ik heb zelf geen ervaring met het pekelen van vlees en vis, maar wel van sleedoornbessen (in het wild te plukken). Laat 400 gram zout in een liter water koken, zodat het zout oplost. Doe een kilo sleedoornbessen in een pot, giet de afgekoelde pekel erover en laat dat drie maanden staan. Sleedoornbessen afgieten, goed laten afdruipen, een dag laten drogen. De bessen over potten verdelen, per pot vier knoflooktenen en een takje rozemarijn erbij, met (olijf)olie afvullen, zodat de bessen onderstaan. Koel en donker jarenlang te bewaren en te eten als olijfjes van eigen bodem!

Jam en gelei

Jam maken is een populaire vorm van fruit conserveren. In huiselijke kring en semiprofessioneel, getuige de vele potjes jam die in zomer en najaar langs de kant van de weg worden verkocht. Het principe van jams en gelei is: suiker zorgt ervoor dat het fruit houdbaar wordt (omdat bacteriën niet overleven in hoge concentraties suiker) én – in combinatie met de pectine – stolt. Om de jam langdurig houdbaar te maken, wordt er een kilo vruchten op een kilo suiker gebruikt. Dat levert een behoorlijk zoet product op. Als de jam kokend heet in met sodawater omgespoelde potten wordt gedaan en dan meteen met een goed sluitende deksel wordt gesloten, is de jam ook met minder suiker lang houdbaar. Alleen zet het bederf dan wel behoorlijk snel in zodra de pot geopend is.

Jam is gemaakt van hele of gepureerde vruchten, gelei van gezeefd vruchtensap. Vruchtenkaas, in de Engelse keuken *curd* genoemd, is een vruchtenpuree, vaak gecombineerd met citroen, suiker, boter en eieren.

Komt de suiker in je jam uit de buurt? Dat zou kunnen. Als het tenminste om suiker van suikerbieten gaat, want die groeien in Nederlandse kleigronden. Rietsuiker wordt gewonnen uit een totaal andere plant, suikerriet, dat in tropische gebieden groeit, niet in de buurt dus. Het winnen van suiker uit bieten is een ingewikkeld en industrieel proces. Rietsuiker komt dus altijd uit de suikerfabriek. Geen suiker gebruiken dan maar? Je krijgt er immers slechte tanden van en overgewicht. Maar een teveel aan suiker krijgt de gemiddelde wereldburger vooral binnen via frisdranken. Dagelijks een paar boterhammen met jam kunnen echt geen kwaad. En jam is een heerlijke manier om het hele jaar door van je zelf geteelde aardbeien, kruisbessen, rode, zwarte, witte bessen, frambozen, kersen, pruimen, tomaten (ja, daar kun je ook goed jam van maken) te genieten. Met een beetje hulp van de suikerfabriek. Wil je je jam of gelei helemaal met lokale of regionale ingrediënten maken, dan kan dat goed met honing. Bedenk daarbij wel dat honing zijn eigen smaak heeft en je dus een anders smakende jam krijgt dan met suiker. Bovendien is de prijs per kilo veel hoger.

Stroop

Nóg een manier om zonder suiker je eigen fruit te verwerken tot een smakelijk product is stroop maken. Vooral appels, peren en pruimen lenen zich daar goed voor. In Zuid-Limburg en sommige delen van België – waar van oudsher een echte appelstroopcultuur is – wordt door nog een enkele appelteler zelf stroop gekookt met eigen fruit. In vrijwel alle appelstroop in de winkel worden suikerbieten verwerkt, vooral omdat die goedkoper zijn dan fruit. Stroop van alleen fruit is lekkerder én je kunt het ook zelf maken.

Appelstroop van alleen appels wordt te zuur, daarom wordt

deze gemengd met peren: zo'n 60 procent appel en 40 procent peer. Voor een zoetere stroop kun je de verhoudingen omdraaien: 60 procent peer, 40 procent appel. Met pruimen stroop maken kan ook, maar omdat daar weinig pectine in zit (dat zorgt voor het stollen van de fruitmassa), voor maximaal de helft.

Het gewassen fruit in stukken snijden. Heel belangrijk: schil, klokhuis en kroon laten zitten (van de pruimen wel de pitten verwijderen), want daarin zit de pectine, die cruciaal is om stroop te krijgen: Doe eerst de peren (die branden minder snel aan) in één of meerdere pannen en daar bovenop de appels. Water erbij totdat het fruit net niet onder staat. Aan de kook brengen en zachtjes anderhalf uur laten koken. De inhoud van de pan(nen) in een (niet met wasverzachter of geurend wasmiddel gewassen) kussensloop gieten en laten uitlekken boven een emmer.

Sap in een pan met een dikke bodem aan de kook brengen, regelmatig roeren, en tot ongeveer eenvijfde inkoken. Oppassen, want er komt een moment dat de massa bruisend omhoog komt. Dan is de stroop bijna goed. Als een druppeltje stroop als een bolletje op een bord blijft liggen, is de stroop klaar. In schone glazen potten doen. Deksel er pas op als de stroop helemaal is afgekoeld.

Sap

Een prachtige manier om een teveel aan eigen appels en peren te verwerken is sinds een aantal jaren de mobiele sappers. Er is inmiddels een drietal bedrijfjes dat met dit apparaat in het najaar tijdens de oogsttijd door Nederland rijdt. Op een van tevoren regionaal bekendgemaakte plek, vaak een boerderij of tuinderij, staat de mobiele pers gedurende één of meerdere dagen. Aan het eind van de dag krijgen de mensen hun afgeleverde appel- en perenoverschot – tegen een vergoeding – weer terug in de vorm van vijf-literpakken sap. Twee jaar lang houdbaar, met een handig tapkraantje. De introductie van de mobiele sappers is een doorslaand succes, een mooie vorm van nieuwe regionale voedseleconomie.

Maar gewoon thuis aan de slag kan natuurlijk ook, met wat kleinere hoeveelheden van alle soorten fruit. Vers sap persen kan met verschillende persen die in de handel zijn, of met een sapcentrifuge. Daarbij blijven de smaak en voedingstoffen optimaal. Maar om sap lang houdbaar te maken, moet het eerst worden verhit en dan in schone flessen worden gedaan. Bij verhitting gaan altijd een deel van de smaak en voedings-stoffen verloren. Als er dan toch verhit wordt, is het beter om die verhitting te gebruiken om meer sap uit de vruchten te krijgen. Heel simpel het fruit met een laagje water opzetten, totdat de schil knapt. Dan de inhoud van de pan in een doek in een (niet-metalen) vergiet laten uitlekken. Het sap daarna verhitten en dan in schone flessen doen.

De stoomextractor oftewel 'piemelpan'

Nog makkelijker gaat de sapwinning met een *Entsafter*, oftewel stoomextractor of ontsapper. De ontsapper bestaat uit drie verdiepingen: onderin de waterpan, daar bovenop de sapaftappan en bovenop de vruchtenstomer met deksel. In de waterpan wordt water aan kook gebracht. Het fruit gaat in de vruchtenstomer. Door de stoom worden de vruchten verhit, het sap komt daardoor vrij en loopt via de gaatjes in de vruchtenstomer in de sapaftappan. Onderaan die verdieping hangt een slangetje waarmee het sap kan worden afgetapt, vandaar dat kinderen het ding 'piemelpan' noemen. Omdat het heet uit de pan komt, en zo in met sodawater schoongemaakte flessen kan, is het zelf gewonnen sap vervolgens lang houdbaar. Wel even proeven of het sap niet te zuur is. In dat geval op de tweede verdieping suiker toevoegen. Zoet en zuur fruit mixen kan natuurlijk ook.

Wijn en cider

Een eeuwenoude beproefde methode om lang en intens van de fruitoogst te genieten, is er wijn van maken. Jarenlang stonden mandflessen van 10, 25 en zelfs eentje van 50 liter werkeloos op mijn werkkamer. Omdat ik ooit nog eens wilde beginnen aan zelf wijn maken. Maar de zelf gefabriekte wijnen van anderen waren niet altijd een aanmoediging. Smerig zoet vaak. Toch ben ik er op een gegeven moment aan begonnen. Verschillende keren heb ik het hele wijnmaakprocedé doorlopen – met druiven, vlierbloesem en vlierbessen – en het resultaat viel me behoorlijk mee. Maar ik zeg er eerlijk bij: als ik 's avonds zin heb in een glaasje wijn en ik moet kiezen voor wijn van eigen makelij of van een professionele wijnboer, ga ik tóch voor die laatste. Die is subtieler, delicater, complexer, veel meer uitgebalanceerd, gewoon lékkerder. Voor goede wijn hoeven we trouwens tegenwoordig niet meer ver weg. Mijn eigen Achterhoek is uitgegroeid tot het belangrijkste wijngebied van Nederland. Daar worden uitstekende wijnen gemaakt.

Maar als je je er op instelt dat je eigen wijn de professionele kwaliteiten niet haalt, is het in ieder geval behoorlijk leerzaam zelf wijn te maken. Hoe meer ervaring, hoe beter het resultaat. En dat je iets hebt gemaakt van je eigen oogst of van die van een tuinder uit de buurt, is óók wat waard.

Druiven lenen zich het beste voor het maken van wijn, maar je kunt ook met andere soorten fruit aan de slag. Er is wel enige uitrusting nodig voor het maken van wijn: een flinke ton om het fruit aan het gisten te brengen, wijngist, mandfles, waterslot, hevel, bij voorkeur ook een hydrometer en lege wijnflessen. Al deze producten zijn bijvoorbeeld te koop bij webwinkels. Voor elke fruitsoort verschilt het procedé enigszins. Er zijn verschillende boeken en handleidingen verkrijgbaar over zelf wijn maken.

Kortgezegd komt het hier op neer. Fruit of bloesem wordt – eventueel aangevuld met water en suiker – in een vat met wijngist aan het gisten gebracht. Een paar dagen goed afgedekt met doeken laten staan op een warme plek, bijvoorbeeld het CV-ketelhok. Dan het geheel zeven en in een mandfles gieten. Waterslot (met kleine zwanenhalsachtige opening) erop, waardoor koolzuurgas er wel uit kan, maar zuurstof niet erin, evenmin als de fruitvliegjes, die de boel in een mum van tijd in azijn kunnen veranderen. Dan wachten, waarbij de frequentie van het 'blubben' via het waterslot langzaam begint af te nemen. Langzaam wordt de wijn helderder. Na zo'n maand (afhankelijk van de soort) moet de wijn overgeheveld worden, vanwege bezinksel op de bodem dat bijsmaakjes kan gaan geven. Laten rijpen en bottelen.

Zure appels zijn – gecombineerd met wat zoetere – geschikt om in cider te verwerken, de licht alcoholische, mousserende appeldrank die in bijvoorbeeld de appelstreek van Normandië erg populair is. Voor cider worden de appels geperst, waarna het sap aan het gisten wordt gebracht. Cider heeft een paar maanden nodig om op smaak te komen.

Vruchten op brandewijn
Veel mensen kennen het nog van hun oma die het op verjaardagen en met Kerstmis serveerde: vruchten op brandewijn.
Vooral zacht fruit, zoals kersen en kwetsen, kan heel lang
houdbaar worden gemaakt door het op brandewijn, jonge jenever of rum te zetten. De klassieker heet Rumtopf, die met
het fruitseizoen meegroeit: van aardbeien naar kersen, frambozen, rode en zwarte bessen, pruimen en bramen. Telkens
als er fruit rijp is, een laagje in een flinke afsluitbare pot doen,
(inmaak)brandewijn (40 procent) of jonge jenever en suiker
erop, zodat het fruit net onder staat. Met Kerstmis mag voor
het eerst geproefd worden.

Zoetzuur inmaken
Fruit of groenten met kruiden of specerijen met een mengsel
van suiker en azijn in potten doen, dat is het basisprincipe van
inmaken in zoetzuur. Variaties daarop zijn pickles en chutneys. Heel lang houdbaar. Bij pickles zijn de vruchten meestal
nog heel of de groenten in plakken gesneden, chutney bestaat uit een jamachtige massa met veel kruiden en specerijen.
Chutneys komen het best tot hun recht als ze zo'n anderhalve
maand hebben gestaan, om de smaken er goed te laten in-
trekken. Chutneys lenen zich goed voor het verwerken van
de gave delen van fruit dat verder wat is aangetast én voor het
combineren van allerlei verschillende restjes fruit. Ik heb goede ervaringen met pickles van courgettes en van hele pruimen
en met chutneys van courgettes en van rode bessen. Het zijn
lekkere smaakmakers bij de warme maaltijd (vooral bij stamp-
potten), bij blokjes pittige kaas en bij kaas op de boterham.

Fermenteren
Met het eten uit de moestuin, wildplukken en je eigen varkens
houden is ook fermenteren weer helemaal terug, zeker onder
foodies. Kortgezegd komt het neer op het met behulp van bacte-

riën conserveren van voedsel, waarbij er tegelijkertijd een transformatie in het voedingsmiddel plaatsvindt, die een vaak hele andere smaak oplevert dan het oorspronkelijke basisproduct. 'Bacteriën? Maar die zijn toch vies en gevaarlijk?', is de vaak gehoorde reactie. Sinds Louis Pasteur in de negentiende eeuw bacteriën aanwees als veroorzaker van ziekten, staan ze in een kwaad daglicht en worden ze gezien als vijand van de mens. Dat idee strekt zich ook uit naar ons eten: voedsel moet gepasteuriseerd (inderdaad afgeleid van mijnheer Pasteur), gesteriliseerd, in de koelkast en diepvries, want anders krijgen bacteriën en schimmels de kans om verderf en misschien wel dood te zaaien. De wettelijke hygiëne-eisen in de voedingsmiddelenindustrie zijn heel streng: er moet bijna steriel worden gewerkt.

Maar de bacterienijd blijkt toch een beetje doorgeslagen of in ieder geval ongenuanceerd. Want onze voorouders maakten juist gebruik van bacteriën om voedsel houdbaar te maken. Sommige schimmels en bacteriën moet je niet in grote hoeveelheden in je huis en je lichaam hebben, maar het gros is buitengewoon nuttig en gezond en sommige zijn bruikbaar om eten houdbaar te maken: zuurkool, yoghurt, kaas, soja, wijn, bier, brood, azijn. En wat te denken van vanille, koffie, cacao, salami? Allemaal onmogelijk te maken zonder inzet van bacteriën en andere micro-organismen. Oftewel met behulp van fermentatie.

Zonder bacteriën zouden we niet kunnen leven. Ons lichaam is een gastheer voor oneindige aantallen en soorten bacteriën, vele malen meer dan we lichaamscellen hebben, waarmee we toch ook al rijkelijk zijn bedeeld. Alleen al in onze spijsverteringsorganen wonen er zo'n honderd triljoen (10 tot de macht 14). Ze breken voeding af die we anders niet zouden kunnen opnemen, produceren vitamines en verzorgen een afweersysteem tegen ziekmakende virussen en bacteriën. 'Bacteriehaat is zelfhaat', volgens Amerikaanse fermentatie-deskundige Sandor Katz. Het zou best weleens kunnen dat we zoveel gesteriliseerd, bewerkt bacterieloos massavoedsel eten dat dat een verklaring vormt voor allerlei ziekten en kwalen – waaronder overgewicht. Gefermenteerd voedsel is levend voedsel, heeft een gunstige werking op onze darmflora en is een mooi hulpmiddel bij het werken aan een kleine voedselcirkel. Twee toppers onder de bacteriën zijn *Streptococcus thermophilus* en *Lactobacillus bulgaricus*. Die zorgen er tijdens hun fermentatiewerk namelijk voor dat melk wordt omgetoverd in yoghurt. Met veel grote voordelen: terwijl een groot deel van de mensheid, met name in Azië, geen melk verdraagt, kunnen deze mensen yoghurt wel verteren. Die is bovendien veel langer houdbaar dan melk. En zelf makkelijk te maken: melk aan de kook brengen, laten afkoelen tot 40 graden (handwarm), yoghurt erdoor roeren, laten staan en je hebt de streptokokken en lactobacillen aan de yoghurtvermeerdering gezet. Melk die tegen de datum is, wil bij verwarming of bij onweer in de lucht nog weleens gaan schiften. De eerste reactie is dan weggooien, wat – als de melk verder nog goed ruikt – helemaal niet hoeft: het fermentatieproces is slechts begonnen. Gooi de melk door een schone (en niet met wasverzachter gewassen) theedoek. Schraap het wit uit de doek, roer er wat zout en eventueel peper en gehakte tuinkruiden door: zelfgemaakte roomkaas.

Een ander beroemd fermentatieproduct is zuurkool. Vol met vitamine C en daarnaast ook met vitamine B, ijzer en voor de darmflora prettige bacteriën. Voor het maken van zuurkool worden de buitenste bladeren en de harde stronk van een witte kool verwijderd. De kool wordt in dunne slierten gesneden, met veel zout (zo'n 20 gram per kilo witte kool) gemengd en goed aangestampt. Dat wil zeggen: totdat de kool in het vrijkomende vocht komt onder te staan. Als er na stampen toch niet voldoende vocht in de pot staat, kan de rest worden aangevuld met witte wijn. De boel wordt dan luchtdicht weggezet: er mag geen zuurstof bij, maar er moet wel koolzuurgas kunnen ontsnappen. Daarvoor is een Keulse pot geschikt,

Zuurkool maken: de kool paste écht in deze Keulse pot, na het schaven en stampen!

waarin vroeger de zuurkool op de boerderij werd gemaakt, of nog beter, een speciaal zuurkoolvat met een zogenaamd water-slot. Bacteriën gaan vervolgens aan de slag: zetmeel en suiker in de kool worden omgezet in melkzuur. Dat levert, afhanke-lijk van onder andere de temperatuur, na drie tot acht weken licht verteerbare, zure, frisse zuurkool op. Het procedé is ook met andere kolen en groenten zoals bonen te volgen. Wie geen Keulse pot of iets dergelijks heeft, kan het ook met een plastic emmer met deksel proberen. Dan moet het deksel af en toe heel kort op een kiertje worden gezet, om het koolzuurgas te laten ontsnappen. Allerlei variaties zijn mogelijk of toevoe-gingen, zoals pepers, jeneverbessen, karwij, kummel. Erg lang houdbaar, ook zonder 'fermentatievertragingsmachine', zoals de Sandor Katz de koelkast noemt.

Zuivel en vlees in de voedselcirkel

Wie zich een beetje verdiept in zijn eten, weet vast wel dat er aan het eten van vlees nogal wat problemen kleven. Er wordt in Nederland – en alle andere rijke en rijker wordende landen

– te veel vlees gegeten. Meer dan goed is voor onze gezondheid én die van de aarde. Kortgezegd is vlees eten een nogal inefficiënte manier om voedingsstoffen binnen te krijgen, met name wanneer er speciaal veevoer voor de te eten beesten wordt verbouwd. En dat gebeurt bij de meeste varkens en kippen in extreme mate en in iets mindere mate bij onze koeien. Dat veevoer komt ook nog eens grotendeels van ver weg: in Nederland zijn we zelfs alleen maar in staat een enorme veestapel te houden, grotendeels in dichte schuren, omdat het veevoer van elders komt. Met name uit Zuid-Amerika, waar het verbouwen van dat voer ten koste gaat van het tropische regenwoud. Wil je een kleine voedselcirkel en toch vlees eten, dan betekent dat dus dat het voer voor die beesten óók uit de buurt moet komen. Dat kan: er zijn hier en daar boeren, vaak biologische en biologisch-dynamische, die proberen zelf het voer voor hun beesten geheel of gedeeltelijk van dichterbij te halen. Maar stel dat we besluiten dat onze veestapel zoveel mogelijk gevoerd moet worden met voer uit de regio, dan is wel duidelijk dat dat alleen kan met een kleinere veestapel. Je eten zoveel mogelijk uit je kleine voedselcirkel halen, betekent dus minder vlees eten. Wat sowieso gezonder is. Zelf houd ik het bij zo'n twee keer in de week, vooral vlees van boer Berrie, wiens runderen voor een groot deel in natuurgebieden grazen.

Voor eieren geldt een vergelijkbaar verhaal – het meeste kippenvoer komt van ver weg – en voor zuivel ook. Al zijn boter, kaas en melk wat minder problematisch dan vlees. Nederlandse melkkoeien krijgen voor een flink deel te eten van eigen bodem: gras en maïs. Maar dat wordt wel aangevuld met krachtvoer dat óók van ver weg komt. Er zijn boeren – nog een kleine voorhoede – die hun koeien uitsluitend een menu van kruidig gras uit eigen weiland voorschotelen. Ook omdat dat gezonder voor de koeien is. Pure Graze is de merknaam waaronder deze boeren steeds meer aan de weg timmeren.

Helemaal geen vlees eten is volgens sommigen een oplossing. Maar vegetariërs die wel melk drinken en kaas en eieren eten, worden tóch met vlees geconfronteerd. Want wie weleens een eitje eet, is mede verantwoordelijk voor de dood van 50 miljoen ééndagshaantjes per jaar in Nederland. Hoe dat zo? Legkippen worden speciaal voor het eieren leggen gefokt, maar de helft van de kuikens die uit het ei kruipt, is een jongetje. Nu wil het geval dat hanen geen eieren leggen. Daarom worden ze vergast en in stukken gehakt, waarna ze eindigen in voedsel voor dierentuinen en in honden- en kattenvoer. Niet heel respectvol. De hennen hebben recht op hun broertjes. Waarom mogen die niet een tijdje rondscharrelen op onze aardkloot, om vervolgens opgegeten te worden? Dat kan, maar het is geen vleesras, waardoor het te lang duurt voordat ze vlees op de botten hebben. Tenminste, dat wordt in de intensieve veehouderij gevonden, maar zelfs ook in de biologische legkippenhouderij. Dat moet toch anders kunnen? Ja, dat kan: inmiddels zijn er hier en daar weer (net als vroeger, voordat er aparte kippenvleesrassen bestonden) boeren die dubbel-doelkippen houden: zowel voor de eieren als het vlees, waardoor ook de haantjes welkom zijn.

Een vergelijkbaar verhaal valt er te vertellen over koeien (en geiten). Wie melk, yoghurt, boter en vanillevla eet, moet weten dat daarvoor heel wat stiertjes jong worden geslacht: willen de koeien melk blijven geven, dan moeten ze om de zoveel tijd een kalfje werpen. Waarvan ook weer de helft geen uiers krijgt. Daarom: leve de dubbel-doelkoeien, voor melk én vlees. Net als vroeger dus, toen lang niet alles beter was, maar sommige dingen waren dat toch wel. Sowieso werd er veel respectvoller met dode beesten omgesprongen: als er eens een dier werd geslacht, werd alles verwerkt en opgegeten, tot aan het bloed in de bloedworst toe. Als je af en toe vlees op tafel zet, past het in een kleinere voedselcirkel om ook 'incourante' delen te verwerken, waarmee behoorlijk lekkere gerechten gemaakt kunnen worden, denk aan worst, paté, balkenbrij, bloedworst, bitterballen. Het weer op kleine schaal worsten en patés maken, van dieren die een fatsoenlijk leven hebben gehad, is inmiddels weer een trend geworden. Door álles van een beest te verwerken, kunnen boeren wat meer verdienen per beest, en kunnen ze toe met een kleinere veestapel die goed in de kleinere voedselcirkel past.

Dat niet zo gebruikelijke vlees is niet in de supermarkt te koop en ook steeds minder bij slagers. Je zult er dus om moeten vragen, dan kunnen ze je er wel aan helpen. En hoe meer mensen er om vragen, hoe normaler het wordt. Het makkelijkste gaat dat trouwens bij de zelf-slachtende slagers; nogal wat slagers kopen hun vlees in bij grote slachthuizen. Bij de paar overgebleven zelf-slachters valt er makkelijker wat te regelen. Denk ook eens aan Marokkaanse of Turkse slagers, die vaak ook nog voor Nederlanders minder gebruikelijke onderdelen van geit, varken en rund verkopen. Sommige webwinkels, zoals Okévlees, verkopen ook varkenspoten en -staarten. En als je samen met een groep consumenten een koe of varken laat slachten, heb je uiteraard ook invloed op de bestemming van alle onderdelen.

Dubbel-doelkoeien van boer Berrie, voor kaas en vlees

Alles kan in de soep

Eeuwenlang was de vuurplaats dé plaats waar gekookt werd. Omdat er meestal maar één vuur was, werd er in één pot gekookt: stamppot, stoofpot en soep, heel veel soep, over de hele wereld. Juist omdat soep zoveel en overal gegeten wordt, zingen er vele verhalen over rond. Zoals dat van de steensoep, in sommige streken bekend als spijkersoep, knopensoep of bijlsoep. Een groep hongerige reizigers arriveert in een dorp met niks anders bij zich dan een pot. Maar de dorpelingen willen niks van hun eigen voorraden delen met de vreemdelingen. Daarop zetten de reizigers hun pot op het vuur, gevuld met water en een steen. 'Wat doen jullie?', wil een dorpeling weten die zijn nieuwsgierigheid niet bedwingen kan. 'Oh, wij maken steensoep. Maar hij zou helemaal perfect zijn als er wat kruiden in zouden zitten.' Waarop de dorpeling niet te beroerd is wat tijm uit zijn tuin te halen. Een andere nieuwsgierige vertellen ze dat de nu soep goed is. Maar met iets meer vulling, een restje bruine bonen bijvoorbeeld, zou de soep pas echt af zijn. Zo passeren verschillende dorpelingen de pot, ieder een ingrediënt toevoegend, waarna er uiteindelijk een heerlijke voedzame, geurige soep ontstaat, die gezamenlijk wordt opgegeten.

Soep is vocht met iets eetbaars. In eerste instantie brood, want het Franse *soupe* betekent oorspronkelijk zoiets als 'met bouillon overgoten stuk brood'. Soep is een mooie manier om allerlei restjes te verwerken. Een bodempje witte wijn: in de soep. Een restje broccoli, wat overgebleven worteltjes, een handvol gekookte rijst, twee gekookte aardappelen: in de soep. Idem met de oogstresten van de moestuin. Want die laatste wat dik en hard geworden snij-, stok- en sperziebonen zet je je huisgenoten niet meer als maaltijd voor. Maar in de soep kunnen ze heel best mee. Zelfs restproducten van het hele kook-en eetproces die je normaal gesproken achteloos weggooit, zijn nog dragers van smaak. En dus geschikt voor het maken van bouillon, de basis van het merendeel van de soepen. De afgekloven botten van een biologisch kippetje bijvoorbeeld: prima om een kippenbouillon van te trekken. Het water waarin je wortels, broccoli, bloemkool hebt gekookt: niet door de gootsteen spoelen, want een deel van de smaak in de groenten is verhuisd naar het water.

De thuissoep smaakt per definitie beter dan die uit de winkel. Die laatste is namelijk altijd op minimaal 111 graden verhit – omdat er anders bacteriën in de soep blijven leven die kunnen uitgroeien tot vervelende ziekmakers. Maar door die hoge verhitting gaat veel smaak verloren, wat de industriële soepmakers proberen te verhullen door smaakversterkers en veel zout. Vandaar dat de meeste winkelsoepen zo op elkaar lijken, ondanks allerlei exotische namen en plaatjes op de verpakking. Des te meer geldt dat voor de zoute zakjes Cup-a-Soup. Niet nodig, want zeer snelle soep maak je zelf of is nog over van gisteren of – ingevroren – van vorige maand. Want

de zelfgemaakte soep gaat vaak niet helemaal op. Geen punt, soep kan de volgende dag nog goed worden genoten. Sterker nog: de soep smaakt morgen nóg lekkerder! Hoe kan dat? Er is niks bij de soep gedaan, er is niks uitgegaan, en toch smaakt de soep beter. De smaakjes in de pan zijn in elkaar geklommen. Wonderlijk, magisch.

Door te koken transformeren we planten en dieren in een maaltijd op tafel en daarmee zijn wij koks een cruciale schakel tussen natuur en cultuur. Waardoor we zélf ook transformeren, volgens journalist Michael Pollan. Van slechts consument naar producent. Door te koken vertrouwen we op een magie die nog voor ons allemaal toegankelijk is. 'Het vergroot onze onafhankelijkheid en vrijheid, terwijl het onze afhankelijkheid van verre bedrijven vermindert. Niet alleen ons geld, maar ook onze kracht vloeit in hun richting als we in geen enkele van onze dagelijkse behoeften en wensen zelf kunnen voorzien. En die kracht vloeit weer naar ons terug, en naar onze gemeenschap, zodra we besluiten er enige verantwoordelijkheid voor te nemen en onszelf te voeden.'

Samen aan tafel

Koken is begonnen met vuur. En wie zelf wel eens een vuurtje stookt, weet dat dat een enorme aantrekkingskracht heeft. Zo is ook het koken en eten rond het vuur eeuwenlang iets sociaals geweest. 'De gezamenlijke maaltijd is het krachtigste ordeningsmechanisme in de samenleving', zegt de Engelse architect Carolyn Steel in haar boek *De hongerige stad*. Hier leren kinderen manieren, met elkaar praten, luisteren, lachen, ruzie maken. Hier worden de belangrijkste weetjes en ervaringen van de dag uitgewisseld. Normen, waarden en taboes doorgeven, van met mes en vork eten tot niet met volle mond praten en rekening met elkaar houden. Wat betekent het dan als mensen steeds mínder samen eten?

'De magnetron is even asociaal als het kookvuur gemeenschappelijk is', zegt Pollan, nadat hij met zijn gezin bij wijze van proef een kant-en-klare maaltijd met voor elk wat wils heeft proberen klaar te maken. Er kan maar één diepvriespizza per keer in de magnetron, waardoor er ná elkaar gegeten moet worden. Maar sommige mensen zijn nu eenmaal echt knetterdruk, alleenstaand, hulpbehoevend of zitten knel met drukke banen en kinderen die bij thuiskomst snel naar bed moeten. Die zullen toch ook moeten eten? Mogen die dan geen diepvriespizza de magnetron inschuiven? Alles mag, niks is verboden. Maar weet dan dat er misschien ook andere mogelijkheden zijn, zonder afhankelijkheid van de voedingsindustrie.

Een mooi initiatief is Thuisafgehaald.nl. Via Thuisafgehaald koken dagelijks zo'n 7.500 thuiskoks een maaltijd voor mensen in de buurt. Geen tijd om te koken? Even gratis inschrijven en via de website kun je meteen zien wie er bij je in de buurt een maaltijd aanbiedt. En omgekeerd: houd je van koken en vind je het geen probleem om wat extra te koken voor anderen? Dan bied je je maaltijd aan via diezelfde dienst. Er wordt inmiddels ook gevarieerd op het thema. Bijzonder Thuisafgehaald is er voor mensen die slecht ter been zijn: bij hen wordt de maaltijd bezorgd of er komt iemand ter plekke koken of helpen met het doorgeven van een bestelling. Komen die maaltijden allemaal uit een kleine voedselcirkel? Nee, vast niet, dat is aan de thuiskoks. Waarom dan toch hier aandacht voor dit initiatief? Omdat het, anders dan bij een diepvriespizza, in ieder geval de mogelijkheid in zich heeft dat er met lokale en regionale ingrediënten wordt gekookt én samen wordt gegeten.

Uit eten bij Nel

Als je geen zin hebt om zelf te koken, schuif dan eens aan bij Nel Schellekens. Voor veel mensen makkelijker gezegd dan gedaan, want haar restaurant De Gulle Waard zit helemaal in Winterswijk, vlakbij de Duitse grens. Maar ze is in restaurantkringen een van de helden van het lokale eten. Ze kookt voor bijna 100 procent met regionale, Achterhoekse producten.

Dat is niet altijd zo geweest. Maar ze praatte veel met haar Achterhoekse gasten, waarbij het vaak ging over hoe het verder moest met de landbouw, met steeds minder boeren. 'Een van de meiden die jarenlang met ons heeft gewerkt, trouwde met een boer. Die schafte melkrobots aan, een mega-investering en dan nog steeds geen reet verdienen aan de melk. Maar met boerengolf gaan ze het hier ook niet redden. Toen hebben wij zo'n acht à tien jaar geleden gezegd: we gaan het allemaal van hier halen.' En zo geschiedde. Ruim voordat restaurant Noma in Kopenhagen met zijn puur Scandinavische ingrediënten een wereldhit werd, liet Nel de olijfolie staan om over te schakelen op olie van eigen bodem: van koolzaad, walnoten en hazelnoten. De olijfolie staat nog wel op de plank, 'maar alleen om te vergelijken'. Want de Hollandse olie bevalt uitstekend. Met Nel praten staat garant voor een stortvloed aan culinaire wetenswaardigheden, enthousiasme én verrassingen. 'Moet je dit eens proeven!' En ze snelt naar een van voorraadkasten of koelingen in haar keuken om me te laten kennismaken met ingemaakte hopscheuten, pikante crosnes-knolletjes, gedroogde schapentong, twee jaar gerijptew Naegelholt, geitenmelkconfituur, kweepeer in speltbier en bloedworst met chocolade. Zelfgemaakt, uiteraard. Álles wat eetbaar is en haar restaurant binnenkomt, wordt verwerkt. Ze kookte al lang *no waste* toen dat nog niet zo heette. Van hondsdrafblaadjes tot een overdosis gele bieten, van geitenbokkentongen en poten van Gallowayrunderen uit natuurgebieden, tot restjes uit de theepotten van een high tea: in de keuken van Nel wordt het omgezet in iets smakelijks. Ook die stapel uien- en wortelschillen met de kontjes van venkelknollen daar in een kom op het keukenblad? Ja, die gaan bij de resten van de Twentse landgans waarvan bouillon wordt getrokken. 'Het is wel heel veel werk.' Dag én nacht is ze er mee bezig. Gekkenwerk is het eigenlijk. En Nels schaterlach klinkt door haar restaurant. Als om te onderstrepen dat haar missie tóch aanstekelijk is. En dat is ook de bedoeling.

Hoofdstuk 7
En de koffie dan?

Het koffiezetritueel is voor mij een baken in de dag, net als voor veel andere mensen. Dat van mij begint elke werkdag tegen half tien 's morgens, nadat ik heb gemediteerd, ontbeten, de kippen heb gevoerd, wat hout heb gehakt voor mijn kachel. Ik verwarm een ketel water op het vuur en zet dan mijn laptop aan. Als het water kookt, laat ik het pitje aan, zet daarop een steelpannetje met melk en begin water te gieten op de koffie in het filter bovenop de koffiekan. Tegen de tijd dat de koffie voldoende is doorgelopen, heb ik de melk geklopt en is mijn grote beker koffie klaar. In de winter doe ik het deurtje van de inmiddels goed brandende kachel dicht, voordat ik me met mijn beker koffie achter mijn laptop aan mijn lange eikenhouten tafel zet. Het werk kan beginnen. Ook het laatste hoofdstuk van dit boek is geschreven onder begeleiding van mijn dagelijkse beker koffie verkeerd. Terwijl ik natuurlijk donders goed weet dat die koffie niet uit de buurt komt. Ja, het pak is een paar honderd meter verderop in de dorpssuper gekocht, maar de biologische fairtrade koffiebonen komen toch echt uit Latijns-Amerika, Zuidoost-Azië en Afrika. En toch wil ik niet zonder.

Klopt dat wel, pleiten voor eten en drinken uit de buurt en tegelijkertijd koffie drinken? Het simpele antwoord is dat ik nu eenmaal cafeïneverslaafd ben én dat koffie hier niet groeit. Handel in voedselwaren bestaat sinds duizenden jaren, zal hoe dan ook blijven bestaan en is niet per definitie slecht. Het gaat om de schaal waarop en de manier van produceren.

Sperziebonen kunnen we goed zelf telen, dus die hoeven we niet uit Kenia te halen. Koffie groeit hier niet, dus mag daar wel vandaan komen. Maar goed, dan nog. Stel dat de koffieteelt daar onder erbarmelijke omstandigheden gebeurt of dat die ten koste gaat van de voedselvoorziening in Kenia? Omdat het om 'eerlijke' biologische koffie gaat, vertrouw ik er maar op dat het meevalt met de omstandigheden, maar dat vertrouwen is niet 'blind'. Mocht ik vernemen dat mijn vertrouwen wordt beschaamd, dan rest mij misschien toch niks anders dan af te kicken. Hierbij dus een nuancering van het streven naar eten uit de buurt, uit een kleine voedselcirkel. 'Zoveel mogelijk' is een goede toevoeging. Het gaat ook een beetje om het geheel van het voedselpakket: komt het gros van wat ik zoal met mijn gezin eet en drink uit de buurt? Dat denk ik wel, bijvoorbeeld in kilo's uitgedrukt. Maar ik drink koffie omdat het zo lekker is, gebruik vanwege de smaak en makkelijke verkrijgbaarheid geregeld olijfolie in plaats van Nederlandse raapolie, drink vanwege de andere smaak en prijs vaak Spaanse wijn in plaats van Achterhoekse en doe kruidnagels in mijn stoofpotten (want nagel- of boerenwormkruid heb ik niet altijd bij de hand en smaakt anders). 's Winters aardig wat buitenlandse sinaasappelen uit mijn fruitpakket, al zit er in Nederlandse rozenbottels veel meer vitamine C. Af en toe zitten er dus toch lange lijntjes in mijn voedselcirkel. Maar het zwaartepunt, de kern zou je kunnen zeggen, ligt dicht bij huis.

Bezwaren en dilemma's

Behalve koffieverslaving zijn er een heleboel andere hobbels, vragen, dilemma's, bezwaren en hindernissen bij de zoektocht naar een lokale en regionale voedselvoorziening. Bezwaren die je zelf misschien hebt, of die je door anderen voor de voeten worden geworpen en je daarmee eveneens in de weg zitten. Sommige zijn reëel, andere niet, zeker niet bij nadere bestudering.

Geen tijd

Een moestuin bijhouden kost zeker tijd, evenals je eigen brandnetels en andere wilde planten plukken. Alhoewel: voor mij kost het minder tijd om even wat waterkers uit de sloot te halen dan daarvoor naar de stad te fietsen. Het is in hoofdstuk 5 al even aangeroerd: 'Ik heb daar geen tijd voor' is vooral een kwestie van prioriteiten stellen. Kan er niet ietsje meer tijd en moeite worden gestoken in het op zoek gaan naar lekkere producten om iets smakelijks van te maken? Voedsel en de bereiding daarvan zijn cruciaal voor ons mens-zijn. Vroeger was een mens het grootste deel van zijn tijd bezig met het voorzien in voldoende voedsel. Daar hoeven we niet naar terug, maar ietsje minder televisie kijken of op Facebook surfen en ietsje meer aandacht voor zoiets fundamenteels: is dat te veel gevraagd? Wie een tuin heeft, hoeft ook niet meer zo nodig naar de sportschool. Die enorme hardloophype: kan de energie die dat kost niet productief worden ingezet? Meer van onze aandacht en energie in ons eten steken is zingevend, levensvervullend, de moeite waard.

Te duur

Zelf je eigen aardappelen, bietjes en frambozen verbouwen is niet duur, al heb je altijd kosten: zaadgoed, mest misschien, gereedschap, soms pacht voor de grond. Uiteindelijk verdien je die terug. Hoeveel hangt van allerlei zaken af, bijvoorbeeld van hoeveel je voor de grond moet betalen. Wildplukken is uiteraard gratis. En je boodschappen doen bij een VOKO (Voedselcoöperatie) hoeft zeker niet duurder te zijn dan bij een gemiddelde supermarkt. Zelf een gezonde maaltijd koken hoeft niet veel te kosten. Zeker als je het afzet tegen gemaksvoedsel zoals voorgesneden groenten uit de supermarkt of pakjes en zakjes (van ver en onnodig duur). Het fruit bij een zelfpluktuin is prima te betalen. En zo zijn er allerlei in de vorige hoofdstukken bewandelde wegen, die niet tot duurder en soms zelfs tot goedkoper lokaal of regionaal eten leiden. Soms zijn boodschappen uit de buurt wel wat duurder dan gemiddeld, vooral als je ook biologisch wilt kopen. Daar valt een héleboel over te zeggen, liever gezegd: daar valt een nieuw boek over te schrijven. Hier enkele woorden. In de eerste plaats vind ik de prijzen van bijvoorbeeld groenten en fruit bij de biologische boer en op de biologische markt behoorlijk meevallen, vergeleken met de supermarkt. Zeker als je seizoensproducten koopt, want dat maakt een heleboel verschil: wie in de winter per se tomaten wil, moet daarvoor meer betalen dan midden in de zomer. Verder is het goed om te weten dat lage prijzen, vooral in de supermarkt, vaak geen eerlijke prijzen zijn. Nederland is het enige land in de Europese Unie dat supermarkten toestaat om producten onder de kostprijs te verkopen, om zo klanten te trekken: melk of aardappelen in de aanbieding doen tegen een prijs waar de boer niks aan verdient om de klant te lokken en vervolgens de prijzen van andere producten wat omhoog doen. Het is een bekende praktijk in de concurrentieslag tussen de supermarkten. Wie dan de prijzen van melk en aardappelen gaat vergelijken met die in een boerderijwinkel, concludeert dat de supermarkt veel goedkoper is. Maar eerlijk is die vergelijking niet. Daar komt nog eens bij dat allerlei schadelijke gevolgen die de grootschalige industriële voedselproductie met zich meebrengt, niet in de winkelprijzen zijn verwerkt. Het met fossiele brandstoffen over de hele aarde vervoeren van allerlei voedsel, draagt bijvoorbeeld bij aan klimaatverandering. De kosten om die schade te verhelpen, zijn niet verwerkt in de producten. Dat zou eigenlijk wel moeten: door de voedselkilometers in de prijs te verwerken, worden de prijzen eerlijker. Maar dat gebeurt (tot op heden) niet. Ook oneerlijk: de waterleidingbedrijven zijn jaarlijks honderd miljoen euro kwijt om schadelijke bestrijdingsmiddelen uit het water te halen. De kosten daarvan worden betaald door de belastingbetaler. Ook door de belastingbetaler die zijn eigen biologische groenten teelt of die via een abonnement groente van de boer in de buurt krijgt geleverd. Terwijl hij niet verantwoordelijk is voor het veroorzaken van die kosten.

Tot slot: we besteden nu zo'n 10 tot 15 procent van ons inkomen aan voedsel, terwijl dat vroeger, tot in de jaren vijftig, zestig, toch al gauw 30 tot 40 procent was. Nederlanders geven ook relatief weinig uit aan hun eten in vergelijking met bijvoorbeeld Duitsers, Belgen of Fransen: zij kunnen fatsoenlijk eten meer waarderen. Ook dat is vooral een kwestie van prioriteiten stellen. Is het echt nodig om drie keer per jaar op vakantie te gaan? Om het nieuwste televisietoestel aan te schaffen? Een auto die een 'coole' uitstraling heeft? Eten is iets cruciaals en verveelt nooit, de nieuwste tv, coole auto, derde vakantie zijn niet bepaald essentieel en wennen snel. Inderdaad, er is een groep mensen die er grote moeite mee heeft om rond te komen. De inkomens in Nederland zijn tegenwoordig extreem ongelijk verdeeld, veel ongelijker dan dertig jaar geleden. Daar zou wat aan moeten gebeuren. Maar het gros van de Nederlanders zou makkelijk wat meer voor zijn voedsel kunnen betalen.

Werkgelegenheid

Als we massaal ons voedsel zelf gaan verbouwen en vaker bij de boer kopen in plaats van bij de supermarkt, verdwijnen er veel banen. Die van de vakkenvullers, kassières, diepvriespizzabakkers, appelmoesmachineonderhoudsmonteurs, chauffeurs van de Monatoetjesvrachtwagens. Waar moeten die mensen gaan werken? Op de korte termijn vervelend voor de mensen die het betreft, toch is dat geen sterk argument. Ik ben heel erg voorstander van het sluiten van alle kerncentrales in de wereld, vanwege hun honderdduizenden jaren durende levensgevaarlijke afval. Ook al betekent dat dat tienduizenden mensen die in en rond die kerncentrales werken, op straat komen te staan. Zij zullen ander werk vinden, bijvoorbeeld omdat er andere energie moet worden opgewekt. 'Werkgelegenheid' is dus geen houdbare reden om levensgevaarlijke kerncentrales open te houden. Over de olie- en gasindustrie kan ik eenzelfde verhaal vertellen, maar met een nog veel grotere impact. Miljoenen mensen hebben werk dankzij die industrie. Toch komt er ooit een moment dat olie, gas en kolen op zijn en de banen in die industrie dus verdwijnen. En eigenlijk zouden we nú al drastisch het gebruik en de winning van fossiele brandstoffen moeten inperken, willen we de klimaatverandering een beetje binnen de perken houden. Dat betekent dat miljoenen banen in die industrie verloren gaan. Maar daar komt andere werkgelegenheid voor terug, op het gebied van zonnepanelen, windturbines, energiebesparing.

Precies datzelfde geldt voor de voedselketen. Een meer regionale en lokale voedseleconomie betekent minder werk in de industrie, verwerking, transport en supermarkt. Maar meer op en rond boerderijen, tuinderijen en kleinschalige kaasma-

Bakker Ton IJsseldijk vormt zijn ambachtelijke brood.

kerijen en broodbakkerijen. Per saldo zou er weleens méér werkgelegenheid kunnen komen, die ook nog eens bevredigender is, minder afstompend en beter betaald. Dag in dag uit aan een lopende band duizenden varkens verwerken in door de machine voorgeschreven handelingen? Of een paar varkens per week vakkundig uitbenen en die vervolgens tot smakelijke producten verwerken in de plaatselijke slagerij?

De ambachtseconomie verdient herwaardering, vindt ook de Sociaal-Economische Raad (SER), het belangrijkste adviesorgaan van de regering. 'Vakkundig, handmatig en geschoold maakwerk (vakmanschap, scheppend karakter, maatwerk), voornamelijk in de praktijk geleerd, waarbij vaardigheid van groot belang is', zo definieert de SER ambachtelijk werk. Juist daaraan is behoefte en juist daarin kan een kleinschaligere voedseleconomie voorzien. 'Ambachten met lokale/regionale wortels kunnen in bepaalde gevallen ook duurzamer produceren en daarmee tegemoetkomen aan de groeiende behoefte onder consumenten aan het gebruik van "eerlijke" materialen, door korte, regionale, productieketens en duurzame productiewijzen', aldus de SER, die als voorbeelden Waddenbrood, Beemster Kaas en Weerribben Zuivel noemt. Werken met je handen is zwaar ondergewaardeerd geraakt in onze samenleving. Een herwaardering is goed voor ons allemaal, om meer recht te doen aan hoofd, hart én handen, dat ons een completer mens maakt.

De honger in de wereld
In discussies over landbouw en voedsel kom je vroeg of laat vrijwel altijd uit bij de honger in de wereld. 'Met biologische of kleinschalige, regionale landbouw kun je de wereld niet voeden', 'We hebben de grootschalige industriële landbouw nodig om de stedelijke bevolking van eten te voorzien', 'Kleinschaligheid is leuk, voor romantici, maar... wil je terug naar de plaggenhutten of zo?'

Het zijn allemaal mythes. Om met de honger te beginnen. Er is op dit moment genoeg voedsel om twaalf tot veertien miljard mensen te voeden. Toch hebben zo'n achthonderdduizend mensen honger en zijn nog eens een miljard mensen ondervoed. Hoe kan dat? Honger wordt zelden veroorzaakt door gebrek aan voedsel, maar door een gebrek aan toegang tot voedsel. Door te weinig koopkracht, gebrekkige toegang tot productiemiddelen, oorlog en geweld.

Een bekend voorbeeld is de Ierse hongersnood in de negentiende eeuw, waarbij miljoenen Ieren omkwamen en even zovelen emigreerden. De oppervlakkige oorzaak van de dramatische hongersnood was de aardappelziekte die de oogst enkele jaren achter elkaar vernietigde (en nog steeds een groot probleem is in de aardappelteelt). Maar wie wat preciezer kijkt, ontdekt dat er ten tijde van die hongersnood wel degelijk veel voedsel geproduceerd werd op het Ierse platteland: graan dat door de Britse kolonisators van Ierland naar hun moederland werd gebracht, om er daar aan te verdienen. Het koloniale regime was mede de oorzaak van de erbarmelijke sociaal-economische omstandigheden van de Ierse plattelanders en daarmee hoofdveroorzaker van de honger.

Zo gaat dat in veel gevallen nog steeds. In Brazilië is zo'n 10 procent van de bevolking chronisch ondervoed. Terwijl daar op gronden waarvoor eerst Amazonewoud is gekapt en de inheemse bewoners zijn verdreven, veevoer wordt verbouwd voor de Nederlandse varkens en kippen. Honger in Brazilië en overgewicht in Nederland zijn dus niet los van elkaar te zien.

'Oké, maar ervan uitgaande dat de voedselverdeling eerlijk gebeurt, is de moderne industriële landbouw veel productiever. Die levert, dankzij modern zaadgoed, rassen en mechanisatie nu eenmaal veel meer kilo's', is dan vaak de reactie. Waar óók heel veel op valt af te dingen. 'De wereld wordt niet gevoed door grootschalige landbouw', zegt de Wageningse hoogleraar agro-ecologie Pablo Titonell. 'Van alle boerenbedrijven wereldwijd is 97 procent kleiner dan twee hectare. Die produceren meer dan de helft van alle voeding, terwijl ze maar 20 procent van alle landbouwgrond gebruiken.'

Juist 'ouderwetse' kleinschalige landbouwmethoden blijken productief en efficiënt te kunnen zijn. De Amerikaanse hoogleraar bodemkunde Franklin Hiram King maakte in 1909 een reis door China, Korea en Japan. Hij bestudeerde er de intensieve landbouwsystemen en stelde zijn ervaringen en inzichten te boek in *Farmers of Forty Centuries*, dat in 1911 verscheen. Een eeuw later werd het boek in het Nederlands vertaald en bewerkt door Sietz Leeflang, oprichter van De Kleine Aarde en later De Twaalf Ambachten, 'Centrum voor ekologische technieken', te Boxtel. In kleine dorpen met een paar duizend inwoners woonden drie of vier generaties onder één dak. Elke familie had ongeveer een hectare grond. Die werd zo bewerkt dat het genoeg te eten opleverde. Mede dankzij uitgekiende plantschema's: tussen de stammen van de perzikboompjes was ruimte voor zeven rijen koolplanten, twee rijen tuinbonen en nog een rij andere bonen. 'De grootste prestatie die ooit door cultuurvolkeren werd geleverd was het consequente en gedisciplineerde hergebruik van reststoffen – het woord 'afval' kende men niet – door volken van China, Japan en Korea. Dit was het geheim van het blijvende behoud van de bodemvruchtbaarheid van hun velden, akkers en boomgaarden. Dit gedurende vierduizend jaar', aldus King. Al het organische materiaal – plantenresten, slib in kanalen en vooral ook menselijke uitwerpselen en urine werden in die toen al dichtbevolkte Aziatische gebieden gebruikt om voldoende voedsel te kunnen produceren. Onze eerste reactie is: menselijke poep en pies, dat is toch vies en onhygiënisch? Maar nee, urine en ontlasting werd volgens strikte regels gecomposteerd en vergist, waardoor schadelijke parasieten en micro-organismen niet overleefden (zie hoofdstuk 2 over composteren).

Ook uit hedendaags wetenschappelijk onderzoek blijkt dat juist kleinschalige landbouwmethoden, zonder gebruik van kunstmest en chemische bestrijdingsmiddelen, heel productief kunnen zijn. Bijvoorbeeld door meerdere gewassen op één perceel te telen. Een akker waarop bijvoorbeeld maïs en bonen groeien (*intercropping* of combinatieteelt), levert meer kilo's op dan een akker met alleen maïs (monocultuur). Onder andere omdat bonen vruchtbaarheid aan de bodem toevoegen. Hoe meer diversiteit, hoe productiever de grond. Hét kenmerk van de grootschalige industriële landbouw is nu juist monocultuur: een eenzijdig gebruik van de bodem dat tot veel problemen leidt (uitputting, ziekten en plagen), die met kunstgrepen als chemie worden bestreden. 'Industriële landbouwmethoden zijn gebaseerd op dure input, ze zorgen voor klimaatverandering en zijn bovendien niet opgewassen tegen klimaatschokken. Het is gewoon niet meer de beste keuze', concludeerde hoogleraar Olivier de Schutter, destijds speciale rapporteur van de Verenigde Naties voor het recht op voedsel.

Het kan niet in Nederland

'Alles goed en wel, maar Nederland is natuurlijk te klein om zichzelf van voldoende voedsel te voorzien', hoor je ook wel als argument tegen eten uit de buurt. Dat blijkt niet per se zo te zijn. Het hangt van ons eetpatroon af. Het Wageningse onderzoeksinstituut Alterra rekende uit of de Nederlandse landbouw zonder de import van veevoer en kunstmest kan. Daaruit rolden verschillende scenario's. Bij het scenario 'ongewijzigd dieet' kunnen Nederlanders net zoveel vlees en zuivel blijven eten en drinken als nu, met behulp van veevoer dat alleen op Nederlandse bodem wordt verbouwd en zonder dat er kunstmest aan te pas komt. Probleem is alleen dat er in dat scenario met een ongewijzigd dieet niet genoeg Nederlandse grond overblijft om groenten en graan te verbouwen. Niet zo reëel dus. Verder is het scenario alléén mogelijk zonder export van vlees, zuivel en eieren: de veestapel zou dan sowieso flink moeten krimpen. Maar bij het scenario waarin er een 'mediterraan dieet' gevolgd zou worden (twee à drie dagen in de week vegetarisch), is het mogelijk zonder import van veevoer en kunstmest óók nog voldoende groenten en graan te verbouwen. Volwaardig eten van eigen Nederlandse bodem is dus goed mogelijk.

Hoe groot is de buurt?

Als je zoveel mogelijk uit de buurt wilt eten, hoe groot is dan die buurt? Drie, tien, vijftig, honderdvijftig of 640 kilometer? 640 kilometer is een behoorlijk eind weg. Toch is dat de maximale afstand die het Amerikaanse Congres als voedselregio heeft vastgesteld. Misschien opmerkelijk dat het Amerikaanse congres zich überhaupt met regionaal voedsel bezighoudt. Dat is een gevolg van de flinke populariteit van de lokale voedselbeweging in de Verenigde Staten. Daar is afstand iets anders dan bij ons in Nederland. Voor Amerikaanse begrippen is Nederland een klein, schattig regiootje. Terwijl in mijn eigen beleving mijn voedselbuurt zich hooguit in een straal van zo'n twintig kilometer rond mijn huis bevindt.

Ook in eigen land zien sommigen de regio een stuk groter. Guus Geurts van Swadeshi – Bureau voor andersglobalisering, schreef in 2008 het rapport 'Regionalisering als alternatief voor neoliberale globalisering'. Hij ziet de regio vooral als Europese Unie. Want daar worden de cruciale afspraken gemaakt over handel, milieu, sociale normen en die bepalen op welke schaal er wordt geproduceerd en geconsumeerd. 'Voor duurzame regionalisering heb je bijvoorbeeld importheffingen nodig om de Europese producenten te beschermen.' Europa is nog steeds een erg grote regio, maar als je bijvoorbeeld naar veevoer kijkt, zou het al een flinke verbetering betekenen als niet langer al het veevoer uit de Verenigde Staten kwam, maar bijvoorbeeld uit Frankrijk of Polen.

Bio of uit de buurt?
Biologisch eten is beslist niet hetzelfde als uit eten uit de buurt. Midden in de winter zat er onlangs een doosje blauwe bessen uit Chili in mijn biologische fruitpakket dat wekelijks wordt bezorgd. Lekker (dat viel me mee), maar niet bepaald uit de buurt. En omgekeerd wordt een flink deel van de Nederlandse biologische groenten en aardappelen geëxporteerd. Biologische diepvriespizza's heb je tegenwoordig ook, evenals biomayonaise, -pesto, noem maar op, met ingrediënten die overal vandaan komen. Nogal wat biologische akkerbouwbedrijven in de Flevopolder zijn grootschaliger dan niet-biologische melkveehouders in de Achterhoek. En ook de biologische kippen- en varkenshouders importeren (biologisch) veevoer van ver weg.

Toch hebben biologisch eten en eten uit de buurt wel wat met elkaar te maken. Biologische landbouw gebruikt geen chemische input van buitenaf en in die zin is het minder afhankelijk van grondstoffen van ver weg, een beetje meer zelfvoorzienend. De dierlijke mest die door biologische boeren wordt gebruikt komt niet altijd van het eigen bedrijf, maar van collega-bioboeren uit de buurt. Daarnaast gelden er regels voor het houden van biologische varkens en kippen – ze moeten naar buiten kunnen – waardoor er per definitie minder beesten per hectare kunnen worden gehouden. De biologische landbouw heeft dus een soort ingebouwde rem op schaalvergroting en de problemen die daarbij horen.

Bovendien doen biologische boeren veel meer aan directe vermarkting: een kwart van de bioboeren verkoopt rechtstreeks aan burgers, via boerderijwinkels, abonnementen en markten, tegen 8 procent van de gangbare boeren.

Maar dan nu het dilemma. Ervan uitgaande dat je het belangrijk vindt dat de landbouw geen gif en energievretende kunstmest gebruikt, maar tegelijkertijd ook van boeren uit de buurt wilt kopen. Wat koop je dan: melk van een 'gangbare' buurtboer of biologische melk uit de supermarkt en dus van een boer ver weg die je niet kent? Daar is geen pasklaar antwoord op. Je zou het kunnen afwisselen. En hopen dat gifvrij boeren steeds meer gemeengoed wordt, wat het trouwens nog lang niet is: slechts zo'n 3 producent van de Nederlandse landbouwgrond wordt biologisch bewerkt.

De politiek moet het doen

De steeds grootschaliger wordende landbouw, de almaar groeiende macht van voedselmultinationals en supermarkten, het verdwijnen van steeds meer boeren: het lijken op het eerste gezicht misschien natuurverschijnselen, waar we niks aan kunnen doen. Dat is niet zo, het zijn processen die bewust door de politiek worden gestimuleerd. Juist ook onder druk van de grote voedselmultinationals, die vaak heel effectieve lobby's voeren. Neem opnieuw het voorbeeld van veevoer. In de landbouw van enkele decennia geleden was het volstrekt normaal dat boeren in Nederland en elders in Europa hun eigen veevoer verbouwden: bijna iedere akkerbouwer had tot zo'n twintig jaar geleden wel een stuk grond met erwten of bonen. Maar in ruil voor bescherming van de eigen graanmarkt deed de EU de Amerikanen de concessie de Europese markt open te gooien voor eiwitgewassen. Waarna gewassen als erwten en lupinen grotendeels van de Europese akkers werden geconcurreerd, door goedkope Zuid- en Noord-Amerikaanse soja. Via het 'Gat van Rotterdam' (de Rotterdamse haven) werd dat de kurk waarop de Europese vee-industrie drijft. Met bijbehorende enorme problemen.

Europese en internationale handelsafspraken zijn van enorm grote invloed op de manier waarop voedsel wordt geproduceerd, ook op de schaal waarop dat gebeurt. Daarom zeggen sommige (voedsel)activisten en politici: 'We kunnen wel leuk met onze eigen aardbeitjes in de vensterbank gaan zitten fröbelen, maar dat schiet niet op; het internationale beleid moet om.'

Enerzijds is dat een waarheid als een koe: de politiek moet kiezen voor het belang van mens, aarde, dier en lokale gemeenschappen in plaats van vooral een destructief economisch model, gebaseerd op financieel-economisch gewin, te faciliteren. Maar we kunnen en moeten daar niet op wachten. De politiek in beweging krijgen is zoiets als proberen de koers van een olifant te veranderen met behulp van een tandenstoker. We hebben ze nodig, de mensen die met tandenstokers in de weer zijn. Maar het is zoveel bevredigender om óók in de dagelijkse werkelijkheid te laten zien: het kan anders.

Het heft in eigen hand

In 2008 was ik in de Noord-Italiaanse stad Turijn voor de tweejaarlijkse ontmoeting van de internationale Slow Food beweging. Voor 'een reis naar de wortels van het eten' zoals de organisatoren het noemden, waarbij 'gastronomie samenkomt met ethisch en sociaal bewustzijn', voor 'goed, schoon en eerlijk voedsel'. De bijeenkomst was enorm inspirerend. Allemaal mensen van over de hele wereld die op de een of andere manier bezig zijn met lekker eten, maar niet uitsluitend of in de eerste plaats om hedonistische redenen.

In de Turijnse congreshal waren vier lanen met ambachtelijke worsten, hammen en patés; vier lanen met kazen van koeien-, geiten-, schapen-, ezel- en paardenmelk; twee lanen met olijfolie; vier met chocolade, honing, confituren en andere zoetigheden en tientallen andere lanen met culinaire specialiteiten van kleine producenten uit heel Europa, Noord- en Zuid-Amerika, Afrika en Azië. Plus honderden smaakworkshops, *dinner dates*, lezingen, voedselfilms, deelnemers uit meer dan honderd landen en zo'n tweehonderdduizend bezoekers. 'Het bewust genieten van goede, eerlijke gerechten kan de redding zijn van de biodiversiteit, de duurzame landbouw, de culturele identiteit, én van de lokale economieën', volgens Carlo Petrini, de oprichter van de protestbeweging van langzame eters. We staan er als YIMBY-foodies niet alleen voor, was het waardevolle besef dat ik daar opdeed.

Behalve mensen van over de hele wereld ontmoette ik in Turijn ook Maurits Steverink. We hadden nota bene op dezelfde middelbare school gezeten. Maar hij is een paar jaar ouder en op de middelbare school zie je elkaar dan niet staan. We bleken gezamenlijke interesses en drijfveren te hebben en daaruit is inmiddels een jarenlange samenwerking voortgekomen. We werken aan het versterken van de regionale voedseleconomie in de Achterhoek, onze beider geboortestreek. Ons eerste gezamenlijke product was *Smaakboek Achterhoeks Fruit*, dat in 2011 verkozen werd tot het beste streekboek van de Achterhoek. We interviewden 'gewone' Achterhoekers die een enorme schat van kennis hebben over het telen en verwerken van appels, peren, kersen en pruimen. Kennis die we voor de vergetelheid wilden behoeden door deze op schrift te stellen. En op zoek te gaan naar mogelijkheden om die nu weer opnieuw te gebruiken en fruit vooral weer meer uit de eigen streek te halen. *He'w zelf, ku'w zelf, doe'w zelf* is de ondertitel van het eerste deel van de boekenreeks. Het grappige is dat een internationale beweging als Slow Food ons weer helpt onze eigen regionale culinaire wortels te herkennen en herwaarderen.

Wat me in Turijn opviel was de enorme verscheidenheid van al die lokale en regionale voedselproducenten, van wijnmakers tot honingverzamelaars, van oestervangers tot bijenhouders en van bessentelers tot eikelvarkenshouders. Tegelijkertijd is die diversiteit heel logisch. Want de landbouw, de drager van onze voedselproductie, ziet er overal anders uit. Natuur, landschap, klimaat zijn overal anders. En dus zijn landbouw en voedselproductie óók per definitie anders. Evenals de culturele gewoontes en sociale relaties die daarbij horen.

Sinds de Slow Food happening in Turijn is er in Nederland veel gebeurd. Een explosie van kleinschalige voedselinitiatieven: buurttuinen, eetbare parken, voedseltrucks, voed-selhallen, kleine worstenmakers, stadslandbouwers, mobiele pizzabakkers, voedselfilmfestivals, cidermakers, wijncoöpera-ties, stadsbierbrouwerijen, zeldzame-rassen-telers, voedselbos-bouwers, varkenscrowdfunders, maaltijddelers, boerendiners, smaakweken, -prijzen en -helden, wildplukworkshops. On-voorstelbaar wat een initiatieven, wat een energie en creativi-teit er is losgekomen. Heel divers en toch hebben ze iets ge-meen: al die mensen hebben het heft in eigen hand genomen. Dáár gaat het in eerste plaats om bij de beweging voor lokale en regionale voedselvoorziening, een kleinere voedselcirkel: weer meer zeggenschap krijgen over ons eten. En omdat voed-sel zo cruciaal is voor ons mens-zijn, betekent dat meer zeg-genschap over ons eigen leven.

Van de moestuin naar huis met de eerste oogst van het seizoen

Gebruikte literatuur

Ackerman-Leist, Philip, *Rebuilding the foodshed. How to create local, sustainable and secure food systems* (Post Carbon Institute, 2013)

ASEED Europe, *Handleiding Versvoko. Lekker lokaal voedsel* (Aseed Europe, 2012)

Bussink, Michiel, *Lekker Landschap. Smullen van bos & veld* (wAarde, 2006)

Bussink, Michiel, *Ik eet, dus ik ben. 60 eigenwijze recepten* (Scriptum, 2009)

Bussink, Michiel en Maurits Steverink, *Smaakboek Achterhoeks Fruit* (Nelles, 2011)

Bussink, Michiel, *Ontdek snel: Eten uit de natuur* (Van Duuren Media, e-book, 2013)

Bussink, Michiel, 'Biologisch boeren biedt juist hoop voor de armsten', *Trouw*, 26 september 2013

Bussink, Michiel, *Deventer Kookboek. Culinaire geschiedenis van koek tot keizersmaal* (KM Uitgevers, 2014)

Carey, Nora, *Smaakvol conserveren. De tuin als provisiekast* (Lannoo/Terra, 1990)

Deursen, Annemiek van, *De eerlijke moestuin. 12 maanden duurzaam & eenvoudig tuinieren* (Forte Uitgevers/SimplifyLife, 2014)

Duinhoven, Geert van, 'Voedsel verbindt Amsterdam', in: *Werkplaats* 17, Voedsel verbindt, Koninklijke Nederlandse Heidemaatschappij/Food Council Rotterdam/Wetenschapswinkel Wageningen, jaargang 12, mei 2014, p. 26-28

Gerhardt, Ida, *Vijf vuurstenen* (Athenaeum-Polak & Van Gennep, 1974)

Geurts, Guus, *Regionalisering als alternatief voor neoliberale globalisering* (Vóór de Verandering, 2008)

Groothedde, Gerrit Jan, *Weg van de supermarkt. Wat de grootgrutter niet wil dat u (w)eet* (Spectrum, 2014)

Hopkins, Rob, 'Resilience thinking', in: *Resurgence* No. 257 november/december 2009

Huisken, Alma en Doortje Stellwagen, *Met mest en vork* (Lemniscaat, 2012)

Jansen, Gert Jan, *Kleinschaligheid als alternatief* (Hof van Twello & Jan van Arkel, 2014)

Katz, Sandor Ellix, *The Art of Fermentation: An In-Depth Exploration of Essential Concepts and Processes from Around the World* (Chelsea Green Publishing Co., 2012)

King, F.H. *Vierduizend jaar kringlooplandbouw*, vertaling en bewerking door Sietz Leeflang (Stichting De Twaalf Ambachten, 2011)

Kreuter, Marie-Luise, *Tuinieren in de biotuin* (Zomer & Keuning, 1985)

Laan, Annelies, et al., *Buurtmoestuin? Zo gedaan! Handleiding voor het opzetten van een buurtmoestuin* (Stichting Dienst Landbouwkundig Onderzoek, Wageningen UR, 2014)

Loanard, Beth A., 'Cool ways to keep food without refrigeration', 2007, te vinden op: http://www.bethandevans.com/pdf/livingwithoutrefrigeration.pdf

Meulen, Hielke van der, *Traditionele streekproducten. Gastronomisch erfgoed van Nederland* (Elsevier bedrijfsinformatie, 1998)

Nabhan, Gary Paul, *Coming home to eat* (W.W. Norton & Company, 2002)

Pluimers, Jacomijn, Hugo Hooijer en Jeroen Walstra, *Een gezonde en eerlijke landbouw met toekomst. Onze visie op voedsel* (Milieudefensie, 2015)

Pollan, Michael, *Een pleidooi voor echt koken* (Arbeiderspers, 2013)

Ruitenberg, Annette en René Zanderink en Elsje Bruijnesteijn, *Liever lokaal. 365 dagen per jaar* (Fontaine Uitgevers, 2014)

Schumacher, E.F., *Small is beautiful. Economics as if people mattered* (Blond and Briggs, 1973; Kirckpatrick Sale, 1989)

Schutter, Olivier de, 'Agroecology and the Right to Food', Report presented at the 16th Session of the United Nations Human Rights Council, 8 March 2011

Schutter, Olivier de, 'Transcript speech, Food Otherwise conference', 22 February 2014

Seymour, John, *Leven van het land. Niets verspillen en gezond blijven* (In den Toren en Kosmos, 1979)

Sociaal-Economische Raad, 'Handmade in Holland: Vakmanschap en ondernemerschap in de ambachtseconomie', advies aan de regering, juni 2013

Steel, Carolyn, *De hongerige stad. Hoe voedsel ons leven vormt* (Nai Uitgevers, 2011)

Stoel, Addy en Marianne Swankhuisen, met foto's van Wim Ruigrok, *Watertanden op de Boerenmarkt* (Waaihout, 2005)

Sukkel, Wijnand, en Marcel Vijn, 'Hoe duurzaam is een regionale voedselketen?' In: *Ekoland*, onafhankelijk vakblad voor de biologische keten, no. 1, 2015, p. 58-59

Tittonell, Pablo A., 'Farming Systems Ecology. Towards ecological intensification of world agriculture'. Inaugurele rede als hoogleraar Farming Systems Ecology op Wageningen

University op 16 mei 2013

Videler, Hanneke, *Eetbare natuur. Een kookboek voor wat in Nederland uit het wild te halen valt* (Atlas, 2010)

Voskuil, Julia, *Milieuvriendelijk tuinieren op de vierkante meter* (Roodbont Uitgeverij, 2003)

Wageningen UR, *Stadslandbouw* (brochure, zonder jaartal)

Websites

Achterhoekeko.nl: Zet Achterhoekse biologische producten zoveel mogelijk in de regio af, zonder tussenkomst van de groothandel.

http://aseed.net: Internationale organisatie die de structurele oorzaken van milieuvernietiging en sociale onrechtvaardigheid wil aanpakken.

Beterbio.nl: Bezorgt biologische boodschappen in het hele land.

Brouwmarkt.nl en **Homemade-homegrown.com**: Allerlei spullen om zelf voedsel te verwerken, van sap en bier maken tot je eigen graan malen, wecken en drogen.

Buitengewonevarkens.nl: Bedrijf dat aan crowdbutching doet: consumenten investeren geld in de aankoop van een deel van een varken, ruim voordat ze ervan kunnen eten.

Carrefour.eu/nl/belgetarier: Actie van supermarktketen Carrefout om meer voedsel van Belgische bodem te eten.

CSA-netwerk.be: Netwerk van Community Supported Agriculture in Vlaanderen, inclusief overzicht van deelnemende boerderijen.

Ekotwente.nl: Bezorgt biologische producten in Twente, de Achterhoek en op de Veluwe.

Foodlog.nl: Alles over eten en landbouw.

Foodforestry.nl: Voedselbossen in Nederland.

Foodguerrilla.nl: Netwerk van voedselinitiatieven voor duurzame voedselvoorziening.

Foodtube.nl: Filmpjes met instructies voor allerlei culinaire technieken en bereidingswijzen.

Genoeg.nl: Site van het tijdschrift *Genoeg* over meer doen met minder.

Groendichterbij.nl: Ondersteunt mensen die samen aan de slag gaan met een groen buurtproject.

Gullewaard.nl: Site van Gasterij De Gulle Waard in Winterswijk, waar voor bijna 100 procent met regionale, Achterhoekse producten gekookt wordt.

Herenboeren.nl: Initiatief waarbij een groep burgers een boer in dienst neemt, die voor hen voedsel gaat leveren en inspraak heeft in wat er wordt geproduceerd.

Hetvoedselbos.be: Ontmoetings- en educatieplek voor permacultuur in de buurt van het Belgische Waregem.

Kippenhouden.net: Over zelf kippen houden.

knhm.nl: De Koninklijke Nederlandsche Heidemaatschappij begeleidt bewoners bij verbeteringen in hun dorp, stad of buurt, bijvoorbeeld bij stadslandbouw.

Koopeenkoe.nl en **Koopeenvarken.nl**: Via deze sites kan een pakket met van alles van een varken of koe worden gekocht. Pas wanneer het hele (biologische) dier gekocht is, gaat het naar de slacht.

Landwinkel.nl: Coöperatie van samenwerkende boeren, die behalve hun eigen streekproducten ook spullen van collega's verkopen.

Locafora.nl: Marktplaats om lokaal eten te delen, kopen en verkopen.

Lowtechmagazine.be: Achtergronden van en handleidingen voor allerlei zelf te maken hulpmiddelen bij zelfvoorzienend leven.

Michielbussink.nl: Website van de auteur van dit boek.

Natuurenmilieu.nl: Achtergrondinformatie over milieu, onder meer over milieu en landbouw.

Oregional.nl: Coöperatie van boeren in de regio Nijmegen en Arnhem, die streekproducten en biologische producten van aangesloten leden rechtstreeks verkoopt aan afnemers in de regio Nijmegen en Arnhem.

Pluktuinen.nl: Overzicht van alle pluktuinen in Nederland.

Polyfacefarms.com: De boerderij van Joel Salatin in de VS.

Puuruiteten.nl/boerenmarkten: Overzicht van alle boerenmarkten in Nederland.

Rechtvanbijdeboer.be: Overzicht van verkooppunten bij boeren in Vlaanderen.

Resilience.org: Zowel een informatiebron als een netwerk, met veel informatie en achtergronden over het werken aan gemeenschappen zonder fossiele brandstoffen. Zie onder andere het artikel van Eric Garza over the Energy Return On Energy Invested (EROEI) op deze site.

Slowfood.nl: De Nederlandse toegangspoort voor Slow Food en Slow food-groepen.

Thijl.nl: Website van Thijl Klerkx, bezorger van biologische producten in Wychen.

Thuisafgehaald.nl: Verkoop van in de buurt bereide maaltijden.

http://transitiontowns.nl: Netwerk voor lokale transitie in Nederland.

Transitionnetwork.org: Netwerk om gemeenschappen te ondersteunen die werken aan een verminderde afhankelijkheid van fossiele brandstoffen.

Vaneigenerf.nl: Overzicht van biologische boeren in Nederland die aan rechtstreekse verkoop doen.

Velt.be: Vereniging voor ecologisch leven en tuinieren in Vlaanderen.

Weetwatjeeet.nl: Gifgebruik op groenten en fruit.

Wetailer.com: Verbindt lokale en regionale voedselmakers.

Willemendrees.nl: Zorgt dat lokale groenten en fruit in supermarkten verkrijgbaar is.

Zeewierwijzer.nl: Informatie over zeewieren in Nederland.

De auteur

Michiel Bussink is freelance journalist en auteur van onder
andere *Lekker Landschap* en *Ik eet, dus ik ben*. Hij schrijft over
voedsel, land- en tuinbouw. Hij verbouwt zelf een deel van
zijn eigen groenten, fruit en kruiden, houdt kippen en geeft
lezingen, workshops en advies over voedsel.

Ook verschenen in de *Genoeg*-reeks

ISBN 978 90 5877 567 2

ISBN 978 90 5877 619 8

ISBN 978 94 6250 033 4

ISBN 978 94 6250 068 6

Kwartaalblad Genoeg

Genoeg is een onafhankelijk tijdschrift voor iedereen die meer wil doen met minder. Elk nummer van *Genoeg* bestaat uit vier delen:

Gelukkig met genoeg
Weinig bezitten, uit noodzaak of keuze, kan heel rijk voelen. Lees de inspirerende verhalen.

Genoeg voor iedereen
Hoeveel is genoeg? Over eerlijk delen in de overvloed en voldoende overhouden voor de generatie na ons.

Geld genoeg
Kritisch kiezen en vrolijk besparen. Over de grote economie en het kleine huishoudboekje.

Praktisch genoeg
We doppen onze eigen boontjes en maken dingen lekker zelf. Origineel, goedkoop, en vaak beter voor het milieu.
Een gids voor huis en tuin.

Meer info: www.genoeg.nl